Les Fleurs du mal

ÉTONNANTS • CLASSIQUES

BAUDELAIRE
Les Fleurs du mal

Présentation, notes et dossier par
ANNE PRINCEN,
professeur de lettres

Cahier photos par
ÉLISE SULTAN,
professeur de lettres

Flammarion

La poésie
dans la collection «Étonnants Classiques»

APOLLINAIRE, *Alcools*
Au nom de la liberté (anthologie)
BAUDELAIRE, *Les Fleurs du mal*
DU BELLAY, *Les Regrets*
LA FONTAINE, *Le Corbeau et le Renard et autres fables* (collège)
    Fables (lycée)
Poèmes de la Renaissance (anthologie)
Poésie et lyrisme (anthologie)
Poésie, j'écris ton nom (anthologie)
RIMBAUD, *Poésies*
VERLAINE, *Fêtes galantes, Romances sans paroles*
    précédées de Poèmes saturniens

© Éditions Flammarion, 2008.
Édition revue, 2014.
ISBN : 978-2-0813-3656-8
ISSN : 1269-8822

SOMMAIRE

Les Fleurs du mal

■ Portrait de Charles Baudelaire par Étienne Carjat (1828-1906).

Du recueil maudit au « maître-livre de notre poésie »

Une genèse chaotique

« L'Art est long et le Temps est court », écrit Baudelaire dans « Le Guignon » (section « Spleen et Idéal » des *Fleurs du mal*), comme s'il avait pressenti que son œuvre resterait inachevé. Nul n'aura vérifié autant que lui ce divorce temporel entre la création et la vie. La genèse des *Fleurs du mal* ne cesse d'être entravée par les aléas de l'existence. En 1851, alors que le poète propose un premier recueil, les éditeurs le repoussent avec horreur et ses amis le mettent en garde contre « ce livre [qui] restera sur toute [sa] vie comme une tache[1] ». En 1857, lors de sa première publication, c'est la censure qui poursuit et mutile l'ouvrage, conçu avec « fureur et patience ». Pour rééquilibrer le recueil, il faudra composer de nouvelles pièces. Ce sont, outre l'avis « Au lecteur », cent vingt-six poèmes qui paraissent dans l'édition de 1861. Mais, alors qu'il s'apprête à remanier cet ensemble dans le but d'y adjoindre les poèmes qu'il a écrits depuis cette date, et que circulent à Bruxelles, depuis 1866, les pièces condamnées dans un recueil intitulé *Les Épaves*, la mort interrompt le grand chantier poétique qui devait donner sa forme

---

1. Voir dossier, p. 268.

définitive au recueil maudit (1867). En 1868, paraît une troisième édition, posthume, des *Fleurs du mal* qui intègre *Les Épaves* et y ajoute encore une douzaine de poèmes écrits par Baudelaire à la fin de sa vie, mais nul ne sait si elle correspond bien au dessein de l'auteur. Hémiplégique et aphasique[1] dans les tout derniers mois de son existence, Baudelaire a laissé le soin à ses amis, Charles Asselineau, Auguste Poulet-Malassis et Théodore de Banville, de déterminer la place de ses dernières créations poétiques. Cette loi d'incompatibilité entre le rythme lent de la poésie et la mortelle brièveté de la vie affecte aussi les « Petits Poèmes en prose », second chef-d'œuvre de l'auteur, qui ne sera publié en œuvre complète qu'en 1869 – soit deux ans après la disparition de l'auteur –, sous le titre *Le Spleen de Paris*.

La genèse des *Fleurs du mal* est donc chaotique : l'histoire de son manuscrit ne compte pas moins de trois éditions successives. Mais ces remaniements sont constitutifs de l'œuvre elle-même. Si une opiniâtre infortune n'avait pas systématiquement sapé les chances de succès de leur auteur, *Les Fleurs du mal* ne seraient pas aujourd'hui « ce maître-livre de notre poésie », que salue Yves Bonnefoy dans son article consacré au recueil dans *L'Improbable et autres essais*. Chez nul autre poète l'adversité n'aura à ce point accéléré et révélé le génie poétique.

C'est la version de 1861 que nous avons choisie pour la présente édition, non seulement parce qu'elle est la seule établie par Baudelaire et parue de son vivant, mais également parce que, en tirant parti des atermoiements dont elle est victime, elle illustre l'alchimie poétique capable d'extraire la beauté du malheur. Aux cent vingt-six poèmes du recueil, nous ajoutons à la fin les six pièces condamnées lors du procès de 1857. En vertu d'une *réversibilité* mystérieuse, le *guignon* de ces quatre années se transforme, pour la genèse de l'œuvre, en une véritable *bénédiction*[2].

---

1. *Aphasique* : qui souffre de troubles de l'expression.
2. « Réversibilité », « Guignon » et « Bénédiction » sont trois poèmes de la section « Spleen et Idéal ».

1857, *annus horribilis*[1]

Mais revenons sur les rouages de la malédiction qui commence en 1857. Des multiples avanies qui s'acharnent sur le sort de ce recueil, la plus importante est incontestablement d'ordre judiciaire. À peine les cent poèmes de la première édition viennent-ils de paraître que la justice impériale condamne ces fruits amers à la censure publique, au motif qu'ils inspirent le goût « des frivolités lascives » et provoquent l'« excitation des sens ». Quelques articles incendiaires, dont celui du journaliste Gustave Bourdin dans *Le Figaro*, daté du 5 juillet 1857, ont orchestré cette vindicte officielle. On y lit que « ce livre est un hôpital ouvert à toutes les démences de l'esprit, à toutes les putridités du cœur », que l'« odieux y coudoie l'ignoble », que « jamais on ne vit mordre et même mâcher autant de seins en si peu de pages ». Le 12 juillet, un certain Habans attise à nouveau les braises du scandale, toujours dans *Le Figaro*, en parlant d'« horreurs de charnier étalées à froid » et d'« abîmes d'immondices fouillées à deux mains et les manches retroussées ». La réaction des pouvoirs publics n'est pas sans précédent. Quelques mois auparavant, en février, c'est le grand roman de l'ennui provincial et féminin, *Madame Bovary*, qui a été en butte à la police des mœurs et à la Sûreté publique du second Empire. On lui a reproché le « réalisme vulgaire et souvent choquant de la peinture des caractères ». Certes acquitté, en raison des éminents appuis dont il bénéficiait, Gustave Flaubert n'en a pas moins inauguré le divorce de la morale pudibonde de l'époque et de la liberté d'expression artistique.

---

1. Expression latine signifiant « année horrible ». Employée par la reine Elizabeth II pour qualifier 1992, l'année du cinquantième anniversaire de son accession au trône, cette expression est un renversement de « *annus mirabilis* » – qui signifie « année merveilleuse » –, titre d'un poème de John Dryden évoquant les événements de 1666, année faste pour l'Angleterre.

Deux chefs d'accusation sont décrétés à l'encontre des *Fleurs du mal*. Le premier, incriminant quatre poèmes – « Le Reniement de saint Pierre », « Les Litanies de Satan », « Abel et Caïn » et « Le Vin de l'assassin » – pour outrage à la morale religieuse, est rapidement levé ; en revanche, la charge d'outrage à la morale publique et aux bonnes mœurs est retenue par le procureur général et six pièces sont condamnées. La plaidoirie de maître Chaix d'Est-Ange, fondée sur les célèbres notes et le dossier élaboré par l'auteur, tombe à plat ; l'accusation n'entend pas qu'« il y a plusieurs morales, [...] la morale positive et pratique à laquelle tout le monde doit obéir [et] la morale des Arts ». « Le Léthé », « Les Bijoux », « À celle qui est trop gaie », « Lesbos », « Femmes damnées » et « Les Métamorphoses du vampire » disparaissent de l'édifice poétique et compromettent son subtil équilibre, garant, selon l'auteur, de « sa terrible moralité ». En outre, Baudelaire est condamné à une amende de trois cents francs et son éditeur, Poulet-Malassis, de cent francs. Inutile de préciser que le poète est profondément blessé par cette décision de justice ; au cours de la décennie qui lui reste à vivre, il ne cessera de ressasser cette mortification – durable blessure qui alimentera la détestation du « Stupide dix-neuvième siècle[1] » auquel il appartient.

Réversibilité du guignon

Pourtant à toute chose malheur est bon : le purgatoire d'incompréhension dans lequel on confine Baudelaire n'est pas improductif ; il se révèle l'antichambre d'une nouvelle écriture poétique. Comme dans les vers qui clôtureront le grand « Voyage » final de l'édition de 1861, le poète semble s'exhorter lui-même à tirer les fruits nouveaux de cette cuisante humiliation. À l'infamante société, il réclame de nouveaux affronts :

---

1. *Stupide dix-neuvième siècle* est le titre d'une œuvre de Léon Daudet (1922).

Verse-nous ton poison pour qu'il nous réconforte !
Nous voulons, tant ce feu nous brûle le cerveau,
Plonger au fond du gouffre, Enfer ou Ciel, qu'importe ?
Au fond de l'Inconnu pour trouver du *nouveau* ! (p. 238)

Car c'est bel et bien à une poésie nouvelle que Baudelaire donne naissance, entre 1857 et 1861, en remplaçant les pièces manquantes de l'édition bafouée par trente-deux nouveaux poèmes. Le jugement assené par la sixième chambre de police correctionnelle du tribunal de la Seine a non seulement permis au recueil de s'étoffer, mais il l'a également doté, grâce à ces précieux ajouts, d'une modernité géniale. La section intitulée « Tableaux parisiens », composée pour une bonne part de poèmes nouveaux, enrichit l'ensemble et modifie considérablement l'organisation initiale. « Le Cygne », « Les Petites Vieilles », « Les Sept Vieillards » et « La Danse macabre » sont quelques-uns des joyaux neufs dont s'orne le recueil. Ils évoquent l'horreur poétique de la modernité urbaine, ses enchantements baroques et « le chaos des vivantes cités ». Pour saisir tous les enjeux de ce thème inédit, pour comprendre qu'il s'agit là non seulement d'une révolution esthétique mais également d'une nouvelle éthique, d'une forme d'héroïsme poétique, il faut replacer Baudelaire dans son contexte historique et littéraire. Pour devenir le peintre de la vie moderne, dans *Le Spleen de Paris*, comme dans les « Tableaux parisiens », Baudelaire a dû s'affranchir d'un redoutable étau d'influences.

Influences esthétiques : le romantisme et le Parnasse

Dans les années 1840, quand Baudelaire, à peine âgé de vingt ans, commence à écrire, la deuxième génération du romantisme triomphe sur la voie magistrale ouverte par Chateaubriand et parcourue avec panache par Victor Hugo. Sous la houlette de ce dernier, le cénacle qui réunit Alfred de Musset, Sainte-Beuve, Théophile Gautier, Alfred de Vigny et Lamartine s'est assuré une belle notoriété lors de la bataille d'*Hernani*[1], en imposant de nouvelles règles dramatiques sur la scène française. Forts de leur scandale pendant la représentation de la pièce d'Hugo, les toni- truants gilets rouges sont devenus incontournables. À la plupart d'entre eux comme à Gérard de Nerval, Baudelaire voue une sincère admiration[2]. « Le Romantisme, écrit-il encore en 1859, est une bénédiction céleste, ou diabolique. » Avec eux, il partage la conception d'un art qui doit sonder la profondeur du destin méta- physique de l'homme. Chez Delacroix, peintre majeur du mouve- ment romantique, il apprécie au plus haut point la facture d'une œuvre singulièrement épique, qui, de *La Mort de Sardanapale* à la *Lutte de Jacob avec l'Ange*, représente le combat de l'homme avec les forces de la nature et de la transcendance. De ces illustres

---

1. Le 25 février 1830, lors de la première représentation, les amis de l'auteur, membres du groupe des « Jeune France » (voir *infra*), sont accoutrés de façon provocante et occupent les places habituellement réservées à la claque traditionnelle. Bien déci- dés à en découdre avec l'arrière-garde des tenants du classicisme, ils couvrent par leurs applaudissements les sifflets de ces derniers – qui réprouvent les audaces formelles (césures peu orthodoxes, images inhabituelles ou grotesques) – et leur jettent des papiers gras et des déchets alimentaires. Grâce à ce coup d'éclat, le romantisme théâtral triomphe.
2. Seuls Alfred de Musset et George Sand sont exceptés de cette estime générale du poète. Le premier est même affublé du quolibet « maître des gandins » (un gandin est un jeune élégant raffiné et plus ou moins ridicule).

prédécesseurs, et en particulier de l'auteur des *Contemplations*, Baudelaire hérite la vision du poète intercesseur entre Dieu et les hommes, sorte de mage investi d'une mission prophétique et qui prodigue sa lumière à l'aveugle troupeau de l'ordinaire humanité. De nombreux poèmes traduisent cet idéal sublime tout en insistant sur sa dimension doloriste [1] et sacrificielle. « Bénédiction » donne la parole à ce martyr de la Muse qui sait que la douleur est l'aliment mystique de sa rédemption et qui en remercie Dieu :

> Je sais que vous gardez une place au Poète
> Dans les rangs bienheureux des saintes Légions,
> [...]
>
> Je sais que la douleur est la noblesse unique
> Où ne mordront jamais la terre et les enfers,
> Et qu'il faut pour tresser ma couronne mystique
> Imposer tous les temps et tous les univers. (p. 56)

Immédiatement après, « L'Albatros » souligne sur le mode allégorique la souveraine et solitaire élévation du Poète au-dessus de l'ingrate multitude. Omniprésent dans tout le recueil baudelairien, le spleen dissimule mal, sous le vocable anglais, sa proche parenté avec le mal de vivre romantique. Le mysticisme, le goût du fantastique et l'exaltation de la bohème constituent encore d'autres points communs de Baudelaire avec cette esthétique dominante au XIXᵉ siècle. Mais, si le romantisme flatte les appétits héroïques du poète et son goût prononcé pour les humeurs mélancoliques, l'auteur ne se reconnaît ni dans son sentimentalisme ni dans ses épanchements lyriques. Il réprouve les excès du cœur et les licences que les poètes s'autorisent en leur nom. Aux épanchements du « je », Baudelaire préfère la rigueur d'une prosodie classique et les masques de l'allégorie. Cette figure de style se décline sous des formes très variées : moine fainéant, roi

---

1. Le dolorisme est une tendance religieuse qui conçoit la souffrance comme principale voie de rédemption.

taciturne, ou bouffon, le poète embrasse bien des états et des conditions pour dire son mal-être. Le règne animal et le monde des objets sont aussi sollicités. Du cygne au hibou, en passant par le chat et l'albatros, tout un bestiaire peuple *Les Fleurs du mal*; le flacon, le meuble à tiroir, le cénotaphe ou le palais sont autant d'artefacts auxquels s'identifie le sujet lyrique.

Par réaction au romantisme, Baudelaire se laisse un temps bercer par les sirènes du formalisme parnassien, dans le sillage de Théophile Gautier. À l'instar de l'auteur de *Mademoiselle de Maupin*, qui écrit dans la préface de ce roman, en 1835, « Il n'y a de vraiment beau que ce qui ne peut servir à rien, tout ce qui est utile est laid », il aspire à un art que sa forme idéale préserve de toute collusion avec le réel, fût-ce sous la forme de l'engagement politique ou de la conscience sociale. Le Parnasse contemporain – qui regroupe en son sein Théophile Gautier, Théodore de Banville, Leconte de Lisle, José Maria de Heredia, Catulle Mendès et Sully Prudhomme –, dès les années 1840 [1], oppose au culte du moi et aux exigences morales prônés par le romantisme les rigueurs plastiques de la statuaire antique, le dépaysement de l'exotisme oriental ou hispanique et l'éternité de la beauté classique. La théorie de « l'Art pour l'Art » postule que l'œuvre doit être indépendante de toute forme d'engagement et que l'artiste doit lui sacrifier sa personnalité. La réalisation formelle, la perfection du métier doivent être les seules ambitions où prétendent le burin et le poinçon de l'artisan modeste, de l'humble statuaire qui a pour nom poète.

Des nombreux poèmes qui traduisent cette influence parnassienne dans *Les Fleurs du mal*, le plus emblématique est sans doute « La Beauté ». Sous la forme d'une prosopopée [2], une œuvre d'art,

---

1. Dès les années qui suivent la bataille d'*Hernani*, les dissensions sont apparues au sein du mouvement, notamment sur la question de l'engagement.

2. *Prosopopée* : figure de style qui consiste à faire parler un être inanimé, un objet, ou une abstraction. Dans ce poème précis, le sujet de la prosopopée est à la fois un objet – une statue – et une abstraction – l'idée de Beauté elle-même.

dont on peut présumer qu'elle est une statue de facture classique (« rêve de pierre », « fier monument »), formule, en impérieuse idole, les exigences de cet idéal esthétique. Le culte rendu par les parnassiens à la perfection formelle est exclusif et éternel ; le poète doit consentir à un « amour muet comme la matière », qui le consume jour après jour en d'austères études. Cette ascèse semble séduire Baudelaire, comme le laissait déjà présager la dédicace du recueil, qui salue en Théophile Gautier le « poète impeccable » et le « parfait magicien ès lettres françaises ». L'auteur des *Fleurs du mal* est prêt à servir la beauté éternelle et absolue, qui trône, souveraine et majestueuse, non loin du règne des Idées. Mais l'un des articles du sacerdoce parnassien entame son enthousiasme : c'est l'impératif d'impersonnalité. Même quand il rend hommage à la théorie du beau, qui privilégie la pureté des formes, Baudelaire ne peut s'empêcher d'y adjoindre l'expression d'une douleur personnelle. Il est intimement convaincu que la poésie ne peut faire l'économie des affects et des sentiments sans risquer de se pétrifier. Le matérialisme laïque qui préside au choix des sujets poétiques traités par les parnassiens se révèle également assez vite incompatible avec le génie baudelairien, empreint de mysticisme et d'angoisse métaphysique : « S'environner exclusivement des séductions de l'art physique, écrit-il, c'est créer de grandes chances de perdition[1]. »

Dans la configuration esthétique de son temps, Baudelaire occupe donc une position critique très inconfortable. D'une part, il adhère au postulat métaphysique du romantisme tout en récusant son introspection larmoyante ; d'autre part, il soutient l'idée parnassienne de l'indépendance de l'art à l'égard de la morale tout en condamnant le culte froid de l'impersonnalité. Entre l'enclume et le marteau, il n'a d'autre choix que de souffrir à l'unisson des poètes malheureux en quête d'infini ou de ciseler sans espoir le dur marbre de la beauté chimérique.

---

1. *L'Art romantique* (1869).

La première section du recueil – dont le titre « Spleen et Idéal » figure l'intenable dualité [1] de ces deux écoles antagonistes – rend compte de ce déchirement existentiel autant qu'esthétique à travers un certain nombre de poèmes conçus comme des arts poétiques. Le poète semble écartelé entre deux traditions, les épanchements personnels du romantisme, cette bonde toujours lâche des sentiments, et les perfections froides du Parnasse avec sa tyrannie de la beauté formelle. Au lyrisme amoureux des poèmes dédiés à Jeanne Duval qui semblent parfois de simples décalques de la manière « Jeune France » [2], succèdent de véritables morceaux de bravoure parnassiens tel le poème « Je te donne ces vers afin que si mon nom », dont le tympanon, l'aquilon et l'airain [3] forment le cortège désuet d'accessoires classiques. Constamment tiraillé entre deux tentations inconciliables, pris au piège d'une double réaction esthétique, le poète ne peut concevoir que dégoût et rejet pour son époque. Le premier quatrain de « L'Idéal » exprime la lassitude du poète face aux modèles féminins de son temps, qu'il juge vulgaires et affectés :

> Ce ne seront jamais ces beautés de vignettes,
> Produits avariés, nés d'un siècle vaurien,
> Ces pieds à brodequins, ces doigts à castagnettes,
> Qui sauront satisfaire un cœur comme le mien. (p. 76)

---

1. Le « spleen » est une forme de mélancolie assez proche du mal de vivre romantique ; c'est une émotion dont l'épanchement suppose un lyrisme poétique, tandis que l'« Idéal » suggère une poésie de l'impersonnalité, un culte de la forme qui sacrifie le tempérament de l'artiste sur l'autel de la perfection.

2. « Je t'adore à l'égal de la voûte nocturne » (p. 85) est très proche, dans sa facture, son style et son inspiration, des poèmes écrits par le groupe des « Jeune France ». Baudelaire fréquente un temps ces poètes romantiques des années 1830 au lyrisme échevelé, dont Théophile Gautier fait partie, avant d'adhérer au formalisme du Parnasse.

3. Le *tympanon*, l'*aquilon* et l'*airain* désignent respectivement un instrument à percussion, un vent froid du nord et le bronze. Il s'agit de trois termes datés qui confèrent au poème une sorte de préciosité archaïque.

Même amertume du créateur dans « J'aime le souvenir de ces époques nues », où s'énonce l'insatisfaction contemporaine :

Le Poète aujourd'hui, quand il veut concevoir
Ces natives grandeurs, aux lieux où se font voir
La nudité de l'homme et celle de la femme,
Sent un froid ténébreux envelopper son âme. (p. 60)

Cependant, les variations de composition d'une édition à l'autre, dans la genèse de l'œuvre, nous amènent à relativiser cette aporie [1]. Si, dans l'organisation du recueil tel qu'il est conçu en 1857, l'alternance entre le spleen romantique et l'idéal parnassien régit plus des trois quarts de la totalité des poèmes et ne trouve ni résolution, ni apaisement, dans l'édition de 1861, cette section ne compte plus que deux tiers des pièces et elle est suivie des « Tableaux parisiens », véritables remèdes à cette « schizophrénie » esthétique.

Le peintre de la vie moderne

En explorant les sombres arcanes de la cité parisienne, en levant le voile sur cette fourmillante métropole, ce Gomorrhe [2] des temps modernes, Baudelaire n'innove pas seulement en matière de sujet, il explore une troisième voie et inaugure une nouvelle manière qui réalise l'impossible synthèse des romantiques et des parnassiens. À l'autocommisération plaintive des premiers et à la retenue impersonnelle des seconds, il oppose un lyrisme universel, l'empathie urbaine qu'il éprouve pour toutes les

---

1. Une *aporie* est une situation rationnelle sans issue.
2. *Gomorrhe* est le nom d'une cité antique décadente et amorale, que Dieu détruit par une pluie de feu, dans la Bible.

figures de déshérités. Petites vieilles recroquevillées sur les bancs des jardins publics, sinistres et informes vieillards claudiquant sur le pavé, ou négresse phtisique [1] exilée dans les faubourgs grisâtres de la capitale : dans tous ces spectres tragiques, dans tous ces vivants miroirs, le poète se projette. L'art de prendre des bains de foule, de se prostituer à la multitude urbaine, devient pour le sujet lyrique une forme d'héroïsme suprême qui fonde sa nouvelle esthétique. Il ne s'agit plus d'admirer les formes éternelles de la beauté classique, les marbres antiques ou les réminiscences d'un âge d'or fantasmé, ni de déplorer la fuite inexorable du temps en vomissant l'époque actuelle. Il faut saisir le beau dans l'horreur contemporaine, le fantastique dans la banalité du quotidien, se faire alchimiste de l'histoire en transformant la boue de la réalité en poésie éternelle.

À partir de 1852, Paris se transforme, le préfet Haussmann éventre les entrailles de la cité médiévale, trace des saignées chirurgicales dans le tissu méandreux de la voirie parisienne et aligne les façades au cordeau. Au nom des nouvelles valeurs bourgeoises, de l'hygiénisme et de la sécurité, le préfet de la Seine arase des quartiers populaires entiers. De cet urbanisme révolutionnaire, de ce fracas de blocs et de gravats, Baudelaire saisit l'écho poétique. « Le Cygne » est la plus belle réussite de cette esthétique moderne capable de transformer la trivialité du réel en matériau de pure allégorie. Dans ce poème, la métamorphose de la ville devient le symbole d'un dépaysement essentiel, d'un exil universel qui embrasse toute l'humanité et en traverse toutes les strates temporelles. Le quartier du Louvre – rendu méconnaissable par les travaux d'aménagement autour du Carrousel [2] –,

---

1. *Phtisique* : atteinte de tuberculose pulmonaire.
2. Le *Carrousel* est le nom donné à une place située entre le Louvre et les Tuileries qui subit d'importants aménagements urbains entre 1849 et 1852 sous le baron Haussmann. Sur cette place se trouve un arc de triomphe, érigé en l'honneur de l'armée napoléonienne.

par sa proximité avec la Seine, convoque le souvenir d'Andromaque [1] – lors de sa captivité en Épire, afin d'adoucir son exil,
elle reproduisit artificiellement le fleuve Simoïs, qui traversait la
plaine troyenne de ses origines.

> Andromaque, je pense à vous! Ce petit fleuve,
> Pauvre et triste miroir où jadis resplendit
> L'immense majesté de vos douleurs de veuve,
> Ce Simoïs menteur qui par vos pleurs grandit,
>
> A fécondé soudain ma mémoire fertile,
> Comme je traversais le nouveau Carrousel. (p. 168-169)

À cet emblème antique succède le souvenir d'un cygne échappé
d'une ménagerie qui frotte le pavé sec, loin de son lac natal. Par
contiguïté spatiale, au gré des surprises de la flânerie urbaine
et des souvenirs du poète, tout un réseau de symboles hétéro-
clites se tisse entre les exilés de l'histoire, jusqu'à l'évocation des
émigrés ou des matelots échoués sur une île déserte. L'Antiquité
grecque et la modernité sociale, jusqu'alors irréductibles, sont
réconciliées dans le tableau parisien. Le décor parfois trivial de la
cité, l'ouragan sombre de la voirie et le brouillard sale et jaune
qui en inondent tout l'espace n'empêchent pas la tragédie de se
lever. Dans la poussière de la rue, le poète ramasse d'inestimables
pépites. Tel le Soleil dans le poème du même nom, il ennoblit le
sort des choses les plus viles.

Jamais Baudelaire n'a partagé le goût des romantiques pour le
sacre de la nature. Du cycle des saisons, il ne retient que les accords
funèbres de l'automne; des végétations qui abritent les rêveries
des promeneurs solitaires, il ne garde qu'un cyprès symbolique ou
un bosquet à l'antique. Dans «Obsession», son rejet atteint les
proportions d'une hantise fantastique :

---

1. **Andromaque** est une héroïne antique, évoquée par Virgile dans l'*Énéide*. Veuve
du Troyen Hector, elle fut, à l'issue de la guerre de Troie, emmenée en Grèce comme
captive par Pyrrhus, roi d'Épire.

Grands bois, vous m'effrayez comme des cathédrales ;
Vous hurlez comme l'orgue ; et dans nos cœurs maudits,
Chambres d'éternels deuils où vibrent de vieux râles,
Répondent les échos de vos *De profundis*. (p. 153)

Dans « La Béatrice », le poète se plaint à la nature « dans des terrains cendreux, calcinés, sans verdure », et dans « Rêve parisien » il échafaude un paysage d'éclats métalliques et de puretés minérales, où les colonnades et les architectures évincent le « végétal irrégulier ».

Les Fleurs du mal sont des produits artificiels qui ne s'enracinent dans aucun terreau naturel et n'appartiennent à aucun paysage bucolique. S'il est quelque décor élémentaire qui domine dans un sonnet ou un pantoum [1], c'est un cadre allégorique ou une forme idéalisée de la nature : jardin ravagé par l'orage de la vie dans « L'Ennemi », utopie exotique dans « La Vie antérieure », abîmes océaniques reflétant le gouffre de l'âme humaine dans « L'Homme et la mer », crépuscule enflammé tel un autel mystique dans « Harmonie du soir ». La beauté de la nature appartient à des époques révolues ou à des ailleurs merveilleux. Dans « L'Invitation au voyage », le pays d'élection, où tout n'est qu'« ordre et beauté,/ Luxe, calme et volupté », est une marine hollandaise, où dorment les vaisseaux. Les « soleils mouillés » et les « ciels brouillés » qui la baignent d'une lumière d'or transposent dans le paysage l'idéal féminin. Seule une campagne humanisée, profondément civilisée parvient parfois à amadouer le poète, à condition qu'elle soit la promesse d'un bonheur amoureux ou fraternel. Nulle trace dans le recueil de ce poète d'une fascination pour le déchaînement sublime de la nature, la majesté des montagnes ou l'immensité de l'océan, comme sous la plume de Rousseau, de Lamartine et de Chateaubriand.

---

1. *Pantoum* : quatrain à rimes croisées dont les deux premiers vers évoquent une idée explicitée dans les deux derniers.

Mais si Baudelaire n'a jamais goûté la poésie bucolique ou la ballade sylvestre, il n'a pas d'emblée célébré les enchantements de la modernité urbaine. Il a fallu, pour que s'accomplît cette révolution poétique, qu'il y fût initié. C'est aux dessinateurs, aux graveurs et aux peintres qu'il le doit. Entre 1857 et 1861, les années noires, Baudelaire est rongé par une pauvreté chronique et acculé par les dettes et les emprunts qu'il a contractés auprès de ses éditeurs ou de ses amis. Pour survivre, il est contraint à des travaux d'écriture alimentaire, tels les traductions du romancier et poète Edgar Allan Poe et les comptes rendus de Salons de peinture. Depuis 1845, il consacre régulièrement une part de ses activités à la critique d'art, mais les commentaires esthétiques et les Salons ne l'ont jamais autant requis qu'à cette période où il s'adonne parallèlement à l'écriture de nouveaux poèmes, pour pallier la censure.

Or, les débats de ces années-là introduisent dans le champ artistique les partisans du réalisme. Sous la bannière de Champfleury, le théoricien du mouvement, de nombreux artistes s'insurgent contre la hiérarchie des sujets et des genres dans l'art. Le peintre Courbet fait scandale avec *Un enterrement à Ornans*, en attribuant à un sujet trivial et villageois un format habituellement réservé à la grande peinture de genre (scènes religieuses, historiques ou mythologiques). Les réalistes s'opposent à l'idéalisme romantique et préconisent un art plus proche de la réalité, qui peigne avec minutie la réalité de la vie quotidienne. Ils mettent l'accent sur les dimensions psychologique, sociale et historique du réel et préfèrent décrire la société et ses mécanismes économiques plutôt qu'exalter les sentiments personnels. Si Baudelaire, qui adresse un éloge sans mesure à l'imagination – puissante maîtresse et reine des facultés –, se méfie d'un mouvement qui réduit à ses yeux le génie de l'art à l'imitation servile de la nature, il n'en demeure pas moins influencé par cette volonté d'ouvrir la poésie à des thèmes nouveaux. Grâce à lui, la prostitution (« À une

mendiante rousse »), la misère des faubourgs (« Le Vin des chiffonniers »), la décomposition des corps (« Une charogne »), le sadisme
amoureux (« À une madone »), la débauche (« Le Jeu ») ont, pour
la première fois depuis Villon, droit de cité dans l'histoire de la
poésie française. Il fait entrer dans l'espace du sonnet et dans le
carcan de l'alexandrin les curiosités de la cité moderne, les ruelles
pouilleuses et l'ivresse des bas-fonds.

« Tirer l'éternel du transitoire »

En 1857, le poète découvre l'art des caricaturistes, Honoré
Daumier et Gavarni, dont les croquis virtuoses brossent sur le
vif l'esprit d'une époque. Après avoir étudié Delacroix, Goya,
Watteau et Bruegel, c'est à l'art du trait qu'il s'intéresse. C'est
en Constantin Guys, découvert en 1860, qu'il reconnaît surtout
le modèle de l'artiste moderne, capable d'extraire du spectacle
ordinaire de la rue ce grotesque triste si cher au poète : la quin-
tessence de la triviale et banale réalité. Baudelaire lui consacre
une étude intitulée « Le peintre de la vie moderne », dans laquelle
il rend hommage à ce « personnage fantastique », tout en
formulant le credo de sa nouvelle profession de foi esthétique.
Le critique d'art s'y essaie à « une théorie rationnelle et historique du beau, en opposition avec la théorie du beau unique et
absolu ; pour montrer que le beau est toujours, inévitablement,
d'une composition double, bien que l'impression qu'il produit
soit une ». Prenant comme modèle le génial caricaturiste et
aquafortiste, il édicte la charte de l'artiste moderne : « il cherche
ce quelque chose qu'on nous permettra d'appeler la modernité
[...] ; il s'agit, pour lui, de dégager de la mode ce qu'elle peut

contenir de poétique dans l'historique, de tirer l'éternel du transitoire ».

Parce qu'« il est beaucoup plus commode de déclarer que tout est absolument laid dans l'habit d'une époque, que de s'appliquer à en extraire la beauté mystérieuse qui y peut être contenue, si minime ou si légère qu'elle soit », Baudelaire enjoint à chaque artiste d'illustrer la modernité. « La modernité, ajoute-t-il, c'est le transitoire, le fugitif, le contingent, la moitié de l'art, dont l'autre moitié est l'éternel et l'immuable. » Aussitôt cet art poétique trouve des applications dans le champ de l'écriture et de l'expérimentation formelle. Dès 1857, soucieux de capter l'étrange et fugitive poésie de la réalité parisienne, le poète expérimente le genre du poème en prose, qui s'adapte à une matière à la fois fantastique et triviale, mouvante et souple. Dans la Préface du *Spleen de Paris*, adressée à Arsène Houssaye, qui rassemblera après la mort de Baudelaire tous ces poèmes d'un genre nouveau, il formule la nécessité d'une innovation formelle qui convienne à l'évocation de la vie urbaine :

> Quel est celui d'entre nous qui n'a pas, dans ses jours d'ambition, rêvé le miracle d'une prose poétique, musicale sans rythme et sans rime, assez souple et assez heurtée pour s'adapter aux mouvements lyriques de l'âme, aux ondulations de la rêverie, aux soubresauts de la conscience ? C'est surtout de la fréquentation des villes énormes, du croisement de leurs innombrables rapports que naît cet idéal obsédant.

Le génie des lieux urbains se révèle néanmoins admirablement compatible avec la prosodie classique si l'on en juge par l'ajout, dans l'édition de 1861, de poèmes comme « Paysage », « Le Soleil », « Le Cygne », « Les Sept Vieillards », « Les Petites Vieilles », « Les Aveugles », « À une passante », ou encore « Rêve parisien ». Ainsi, de 1857 à 1861, s'accomplit dans l'œuvre de Baudelaire une révolution poétique qui subvertit les canons esthétiques de son époque et l'émancipe des modèles antérieurs, qu'ils soient romantiques ou parnassiens. La poésie baudelairienne s'apprête à annexer le prosaïsme de la vie moderne.

Tout au long de sa vie, la formation du jugement artistique de l'auteur est allée de pair avec l'élaboration de sa poétique, mais c'est à une conjoncture particulièrement délicate que l'on doit l'orientation fondamentale qui fait de Baudelaire le père de la poésie moderne : le procès et l'indigence. Sans cette double infortune, matérielle et judiciaire, qui frappa de plein fouet le poète dans son apparente maturité, peut-être n'aurait-il jamais cessé d'être tiraillé entre les perfections froides du Parnasse et les épanchements lyriques du romantisme.

Les fleurs du recueil de 1861, si elles ont bel et bien éclos sur le terreau du mal, ont surtout puisé dans l'engrais du malheur.

Héroïsme du poète [1]

L'exigence d'adéquation au temps présent, loin de se réduire à un principe artistique, devient également le fondement d'une éthique que l'auteur baptise du beau nom d'« Héroïsme ». En dandy, Baudelaire a toujours revendiqué un farouche apolitisme. En 1848, sa présence sur les barricades [2] tient plus de l'ivresse littéraire et du « plaisir naturel de la démolition [3] » que de l'engagement véritable. Le coup d'État de Napoléon Bonaparte du 2 décembre 1851 achève de lui ôter toute illusion en matière

---

1. Nous nous fondons, pour cette partie, sur une analyse de Walter Benjamin intitulée « Le Paris du second Empire chez Baudelaire », datant de 1938, et parue dans le recueil d'articles intitulé *Charles Baudelaire, un poète lyrique à l'apogée du capitalisme*, publié chez Payot (1990). En trois chapitres, « La Bohème », « Le Flâneur », « L'Héroïsme », l'essayiste allemand étudie la modernité littéraire de l'auteur des *Fleurs du mal* au prisme de la sociologie et de la politique du XIXe siècle.

2. Voir chronologie, p. 40.

3. *Mon cœur mis à nu.*

d'idéologie. Ce retrait de la vie démocratique s'accompagne d'une aversion profonde pour la promiscuité fraternelle des banquets républicains, où l'on porte aux nues les Lumières, Ernest Renan, Jean Valjean et tous les mythes du siècle.

Pourtant, cette posture, loin de s'assortir d'une réclusion dans la tour d'ivoire de l'homme de lettres, s'accompagne d'une véritable conscience sociale. Dès l'édition de 1857, « Le Vin des chiffonniers » et « Abel et Caïn » traduisent l'attention qu'il porte aux crève-la-faim et aux réprouvés. Qu'ils soient les prolétaires du monde moderne, abîmés par l'alcoolisme, « gens harcelés de chagrins de ménage,/Moulus par le travail et tourmentés par l'âge » (p. 199), ou les déshérités bibliques de la race de Caïn, condamnés à l'errance éternelle et à la faim, tous les pauvres s'invitent sous le regard solidaire du poète. Sans l'humanisme de Victor Hugo, ou la charité de Verlaine, Baudelaire raconte crûment mais avec empathie le sort des gueux, des parias et leur universelle fratrie. Contrairement à ses prédécesseurs Hugo et Balzac, qui exaltent la foule, l'un comme un spectacle naturel qu'il contemple du haut de son promontoire, l'autre comme un objet d'étude profus et mouvant qu'il étudie méthodiquement dans ses physionomies parisiennes [1], Baudelaire s'abandonne au flux et au reflux de la multitude dans un sentiment de communion universelle. Dans *Fusées*, il évoque cette « ivresse religieuse des grandes villes » et la « sainte prostitution de l'âme » à laquelle elles invitent. Il ne se contente pas, comme les premiers réalistes, de déterminer, d'identifier les classes sociales et de scruter la topographie urbaine, dans une visée d'organisation pacifique et sociale : il plonge dans la foule comme dans un corps éminemment dangereux qui s'offre à

---

1. « Physionomies parisiennes » est le titre que Balzac donne au premier chapitre de son roman *La Fille aux yeux d'or* qui constitue le neuvième volume de *L'Histoire des treize*. Dans ce texte, Balzac entreprend le portrait moral des différents types sociaux qui évoluent dans Paris en fonction de leurs traits physiques dominants, à la manière d'un biologiste identifiant des espèces animales.

lui. Influencé par Edgar Allan Poe, le père du roman policier, dont il n'a cessé de traduire les œuvres, Baudelaire traque la noirceur fantastique de la capitale. La foule n'est plus une entité organique que l'on peut circonscrire avec patience, c'est désormais le lieu de la dissimulation par excellence, celui des vices, du crime mais aussi du ravissement érotique. Elle gorge le flâneur de visions stupéfiantes et de beautés bizarres. Les chocs métaphysiques qu'il reçoit sont variés : tantôt le poète y croise le regard de celle qu'il eût aimée[1], trop vite happée par la pulsation urbaine, tantôt il y observe la déréliction des aveugles, « Pareils aux mannequins ; vaguement ridicules ;/Terribles, singuliers comme les somnambules[2] », mais toujours il s'identifie à ces frères et sœurs d'un instant, dont la ville lui offre l'âme en pâture.

Pour être enivrante, cette fréquentation de la multitude n'en est pas moins exténuante. Prendre un bain de foule, comme Baudelaire l'écrit dans un poème en prose intitulé « Les Foules », n'est pas donné à tout le monde. C'est un art éprouvant qui suppose une volonté presque épique, un rare goût pour l'effort : « celui-là seul peut faire, aux dépens du genre humain, une ribote de vitalité, à qui une fée a insufflé dans son berceau le goût du travestissement et du masque, la haine du domicile et la passion du voyage ». Plus qu'un simple flâneur, le poète doit se faire aventurier intrépide, comme le figure la métaphore du poème « Le Soleil » :

> Je vais m'exercer seul à ma fantasque escrime,
> Flairant dans tous les coins les hasards de la rime,
> Trébuchant sur les mots comme sur les pavés,
> Heurtant parfois des vers depuis longtemps rêvés. (p. 164)

Sa condition est, ni plus ni moins, celle du chiffonnier qui récupère les déchets de la vie urbaine dans l'espoir d'y déceler un

---

1. « À une passante » (p. 179).
2. « Les Aveugles » (p. 178).

enchantement poétique. Les vieilles choses ne le rebutent pas ; au contraire, il sait que, entre ses mains d'alchimiste, la fangeuse décrépitude peut devenir étincelante. Les porteurs de béquille, « les débris d'humanité pour l'éternité mûrs », les « spectres baroques », tous ces « êtres singuliers décrépits et charmants » ont l'insigne privilège d'être les emblèmes de notre finitude, ils s'exposeront dès demain à la transfiguration de la mort. Pour Baudelaire, la ville est par excellence le théâtre tragique de la précarité : à la pauvreté matérielle, s'ajoute en effet celle, plus essentielle et plus universelle encore, de notre mortelle condition. Le vieillissement et la vétusté deviennent les signes tangibles de cette conscience historique, de ce passage transitoire.

Jules Lemaître, comme de nombreux critiques, a souligné le paradoxe fondamental de Baudelaire qui, tout en exécrant son époque, en tire la matière première de sa poésie : « On maudit le Progrès, on déteste la civilisation industrielle de ce siècle et en même temps, on jouit du pittoresque spécial que cette civilisation a mis dans la vie humaine » (1895). C'est au cœur de cette contra-diction, de cette tension, que réside l'héroïsme de Baudelaire. Pour faire sentir cette horreur du gouffre qui l'habite, pour extraire la beauté de la malédiction urbaine, il lui a fallu se faire violence et prouver que la poésie naît de la « contestation du plaisir de l'art par la compassion, [par] le besoin d'aimer », pour reprendre la belle formule d'Yves Bonnefoy[1].

---

1. « Les Fleurs du mal », *L'Improbable et autres essais*, Gallimard, 1992.

Composition du recueil et des poèmes

Interpréter l'évolution esthétique du poète en fonction de la genèse de son recueil et des modifications qu'il a subies apparaît d'autant plus légitime que Baudelaire n'a cessé d'apporter un soin maniaque à sa composition. En 1857, il écrit déjà dans les notes pour son avocat : « Le livre doit être jugé dans son ensemble et alors il en ressort une terrible moralité. » Il insiste sur ce point en 1861, dans une lettre à Alfred de Vigny : « Le seul éloge que je sollicite pour ce livre est qu'on reconnaisse qu'il n'est pas un pur album, et qu'il a un commencement et une fin. » Constante, réitérée à chaque édition, l'attention à l'agencement du recueil justifie le poids et le sens tout particulier que nous avons donnés à l'insertion de la section moderne des « Tableaux parisiens » à la suite de « Spleen et Idéal ». Dans son célèbre plaidoyer pour Baudelaire, Barbey d'Aurevilly énonce ainsi cette loi de composition :

> Il ne faut pas s'y méprendre, dans le livre de M. Baudelaire, chaque poésie a, de plus que la réussite des détails ou la fortune de la pensée, une valeur très importante de situation qu'il ne faut pas lui faire perdre en la détachant. Les artistes qui voient les lignes sous le luxe et l'efflorescence de la couleur percevront très bien qu'il y a ici une architecture secrète, un plan calculé par le poète, méditatif et volontaire [1].

Ni florilège, ni anthologie, *Les Fleurs du mal* sont un authentique recueil. Tâchons de montrer quelle loi régit son économie globale et à quel parcours métaphysique nous invite son génial bâtisseur.

La **première section**, « Spleen et Idéal », illustre, on l'a vu, le déchirement du poète entre deux tentations esthétiques.

---

1. « Notices, notes et variantes », *Œuvres complètes*, t. I.

Métaphore existentielle, elle figure également la division fatale de l'homme entre deux aspirations contraires, celle du bonheur, de la spirituelle ascension vers la divinité, et celle du malheur, de la compromission dans le vice. Elle se subdivise en sous-groupes : le premier, de « Bénédiction » au « Guignon », évoque la condition ambivalente du poète – à la fois souverain et honni – et ses tergiversations esthétiques. Le deuxième, de « La Vie antérieure » à « L'Hymne à la beauté », est consacré au douloureux appel de l'Idéal, sous ses différentes formes (métempsycose [1], voyage des bohémiens, goût prométhéen du savoir, désir de beauté, etc.). Enfin, le troisième, le plus vaste, expose la dualité de l'amour et se découpe en trois cycles : l'évocation de la sensuelle et capiteuse Jeanne Duval ; l'éloge de l'amour platonique voué à Madame Apollonie Sabatier ; et enfin la célébration de Marie Daubrun, douceur et violence mêlées. Aux enchantements et aux désillusions de l'amour succèdent des poèmes méditatifs, tels « Les Chats », « Les Hiboux », « La Pipe » ou « La Musique ». Leur vertu lénifiante cède vite devant les assauts de la mélancolie, d'abord modérée dans les quatre « Spleen », puis violemment sadique dans « Héautontimorouménos », et enfin nihiliste et mortifère avec « Le Goût du néant », « Horreur sympathique » et « L'Horloge ».

La **deuxième section**, intitulée « Tableaux parisiens », laisse affleurer la conscience sociale du poète. Scandé par deux poèmes, « Paysage » et « Le Crépuscule du matin », dédiés au coucher puis au lever du soleil, cet ensemble suggère une flânerie, tantôt nocturne, tantôt diurne, du poète dans la ville. Il ne s'agit pas là seulement d'une innovation thématique ; le poète résout l'opposition entre la centralisation du moi propre au lyrisme romantique et sa vaporisation dans les sphères abstraites. Il leur substitue à

---

1. La *métempsycose* est une doctrine qui considère qu'une même âme peut revenir dans différents corps humains, animaux ou même végétaux. « La Vie antérieure » y fait allusion.

l'une comme à l'autre une empathie universelle, une communion douloureuse avec les créatures baroques de la cité. À travers la modernité de la ville, l'incroyable accumulation historique qu'elle recèle, le poète parvient aussi à réconcilier les dimensions temporelles qui lui sont chères, l'actuel et l'éternel, le transitoire et le pérenne. Comme dans « Le Cygne », Paris devient un palimpseste [1] inépuisable de strates temporelles et de patrimoines culturels, dont le poète doit sonder l'incroyable combinaison. L'infinie possibilité des événements et des rencontres, la splendeur et la misère réunies dans un même espace confèrent à l'œuvre une puissante concentration dramatique. Mais si les « Tableaux parisiens » constituent une solution poétique au dilemme esthétique de Baudelaire, en revanche, ils ne lui apportent aucun apaisement existentiel. Ils offrent un spectacle qui confirme l'irrévocable emprise de la mort sur tous les êtres.

La **troisième section**, intitulée « Le Vin », constitue une deuxième échappatoire à l'emprise du spleen, après le dégrisement métropolitain. Paradis artificiel, l'ivresse n'a pas que des effets délectables. Construite comme un chiasme [2], cette section enchâsse le bienfaisant oubli que dispense le vin au cœur des pulsions perverses et criminelles qu'il suscite, comme dans « Le Vin de l'assassin ».

La **quatrième section**, intitulée « Les Fleurs du mal », dépeint les relations qu'entretiennent Éros et Thanatos, l'amour et le mal, la volupté et le sadisme. Dans toutes les situations, la destruction l'emporte sur la puissance de divertissement du désir amoureux. La tentation de la mort, omniprésente, corrompt les effets bienfaisants du plaisir.

---

1. Un *palimpseste* est un parchemin sur lequel plusieurs textes ont été écrits et dont les premières écritures peuvent se deviner par transparence sous les plus récentes. L'emploi du mot est ici métaphorique.
2. Un *chiasme* est une figure de rhétorique qui inverse immédiatement les deux termes d'une énumération.

La **cinquième section**, « Révolte », introduit le thème de l'insurrection métaphysique et de l'imprécation lancée à la divinité. Le poète offense Dieu en dédiant ses litanies à l'Ange déchu et en prenant, contre Abel, son protégé, la défense des descendants maudits de Caïn.

La **sixième section**, « La Mort », sanctionne toutes les faillites précédentes et propose le trépas comme seule échappatoire possible au spleen.

Le génie de la composition est aussi perceptible à d'autres échelles du recueil. À l'intérieur des sections elles-mêmes, l'ordre des poèmes se révèle significatif – et, au sein des poèmes eux-mêmes, on peut déceler des effets de sens internes. *Les Fleurs du mal* doivent beaucoup à l'influence d'Edgar Poe et à ses deux grands essais de poétique : *Philosophy of Composition* (*Méthode de composition*, 1845) et *The Poetic Principle* (*Le Principe poétique*, 1850). Dans ces deux ouvrages, le romancier et poète américain insiste sur la nécessité de provoquer un choc esthétique sur le lecteur, au moyen de ressources prosodiques et lexicales savamment exploitées. Cette poétique de l'effet passe par une concentration des moyens et par une rigoureuse construction des moments d'intensité émotionnelle et de relâchement nerveux de la sensibilité. La maîtrise de la chute et l'effet spectaculaire qu'elle produit sont le fruit de cette école poétique. À titre d'exemple, on pourra citer les deux derniers quatrains du célèbre avis « Au lecteur », qui, après une cascade de métaphores figurant la ménagerie des vices, introduisent la vision finale d'un monstre fumeur de houka, dont le raffinement n'a d'égal que la perverse nocivité. Cette allégorie de l'ennui, retardée par la syntaxe, est d'autant plus inquiétante qu'elle se mêle à une adresse intime au lecteur postulant sa connivence vicieuse avec le poète :

Dans la ménagerie infâme de nos vices,

Il en est un plus laid, plus méchant, plus immonde !
Quoiqu'il ne pousse ni grands gestes ni grands cris,
Il ferait volontiers de la terre un débris
Et dans un bâillement avalerait le monde ;

C'est l'Ennui ! – l'œil chargé d'un pleur involontaire,
Il rêve d'échafauds en fumant son houka.
Tu le connais, lecteur, ce monstre délicat,
– Hypocrite lecteur, – mon semblable, – mon frère ! (p. 50-51)

Ce liminaire coup de génie pourrait s'assortir de bien d'autres analyses prouvant qu'un extrême souci de composition préside à l'organisation interne de chaque poème. Dans ses *Variations*, Paul Valéry a montré qu'une pièce comme « Recueillement[1] », malgré cinq ou six vers d'une incontestable faiblesse, n'en était pas moins, grâce à son début et à sa fin, un magistral sonnet. Les deux alexandrins qui encadrent le poème, « Sois sage, ô ma Douleur, et tiens-toi plus tranquille » et « Entends, ma chère, entends la douce Nuit qui marche », entraînent ce bercement intime d'une souffrance en sourdine qui fait toute la magie du texte. Loin d'être, comme le suggère Paul Valéry, un manquement à l'influence d'Edgar Poe, cette loi d'alternance entre des vers ternes, atones, et d'autres éclatants, vérifie les principes de la méthode de composition chers à l'auteur du « Corbeau » et exacerbe la puissance émotionnelle du poème.

Baudelaire se fie comme à un oracle à la maxime de son confrère américain : « un poème n'est un poème qu'en tant qu'il élève l'âme et produit une excitation intense[2] ». Le premier, il ose rompre avec la conception romantique d'une création frénétique et intuitive et considère que la poésie est un métier, un artisanat subtil qui requiert patience et rigueur mathématique. Le coup

---

1. Composé après 1861, ce sonnet n'apparaît que dans l'édition posthume de 1868.
2. Edgar Allan Poe, *La Genèse d'un poème*, L'Herne, 1997, « Méthode de composition ».

porté à l'âme sera d'autant plus profond que les moyens de l'écriture poétique seront tous orientés, quasi scientifiquement, vers l'effet à produire : « Le temps n'est pas loin où l'on comprendra que toute littérature qui se refuse à marcher fraternellement entre la science et la philosophie est une littérature homicide et suicidaire[1] », ajoute-t-il, en prophète de la littérature moderne, en visionnaire.

---

1. *Œuvres complètes*, éd. Y.-G. Le Dantec, Gallimard, 1954, « L'École païenne », p. 979.

CHRONOLOGIE

1821 **1867**

1821 **1867**

■ Repères historiques et culturels

■ Vie et œuvre de l'auteur

Repères historiques et culturels

1821   Mort de Napoléon Ier.

1824   Mort de Louis XVIII. Charles X, son frère, lui succède sur
le trône.

1827   Hugo, préface de *Cromwell*, manifeste du drame romantique.

1828   Hugo, *Odes et Ballades*.

1830   Bataille d'*Hernani*.
Insurrection des 27, 28 et 29 juillet qui met fin au règne
de Charles X. Louis-Philippe devient roi des Français : début
de la monarchie de Juillet.

1832   Gautier, *Poésies*.
Delacroix, *Femmes d'Alger*.

1836   Hugo, *Les Rayons et les Ombres*.
Lamartine, *Jocelyn*.

1842   Naissance de Mallarmé.

1845   Gautier, *Poésies complètes*.

Vie et œuvre de l'auteur

1821   Naissance de Charles Baudelaire à Paris [1].

1827   Mort du père de Charles.

1828   Mariage, en secondes noces, de la mère de Charles, Caroline Dufaÿs, avec M. Aupick.

1831   Installation à Lyon. Charles est interne au Collège royal.

1836   De retour à Paris, il effectue sa scolarité au collège et lycée Louis-le-Grand. Il y découvre la poésie romantique.

**1839-
1840**   Charles obtient son baccalauréat. En même temps qu'il entreprend des études de droit, il mène une existence très libre dans les milieux de la bohème parisienne et noue une liaison avec Sarah «la louchette».

1841   Soucieuse de mettre un terme à la vie désordonnée de Charles, sa famille le contraint à s'embarquer pour les Indes. Sans atteindre cette destination, Baudelaire effectue un séjour à l'île de la Réunion puis à l'île Maurice.

1842   De retour à Paris, il entre en possession de l'héritage paternel. Il rencontre Jeanne Duval.

1844   Sa mère décide de le placer sous la tutelle d'un conseil judiciaire.

1845   Baudelaire fait une tentative de suicide. Publication du *Salon de 1845* et rédaction des premiers poèmes, «À une dame créole».

---

1. Pour une biographie détaillée et rédigée, voir dossier, p. 256.

Repères historiques et culturels

1848   Insurrection des 22, 23 et 24 février qui met fin à
la monarchie de Juillet, remplacée par la IIe République.
Louis-Napoléon Bonaparte, neveu de Napoléon Ier, est élu
président de la République.
Mort de Chateaubriand.

1851   Coup d'État de Louis-Napoléon Bonaparte, le 2 décembre.
Un an plus tard, il se fait couronner empereur et s'attribue
le nom de Napoléon III. Début du second Empire.

1852   Gautier, *Émaux et Camées*.
Leconte de Lisle, *Poèmes antiques*.

1853   Haussmann est nommé préfet de la Seine en charge
de travaux d'urbanisme dans la capitale.
Hugo, *Châtiments*.

1854   Nerval, *Les Filles du feu*.
Naissance de Rimbaud.

1855   Mort de Nerval.
Exposition universelle à Paris.

1856   Hugo, *Les Contemplations*.

1857   Publication et procès de *Madame Bovary*, de Flaubert.
Mort de Musset.

1859   Hugo, *La Légende des siècles*.

Vie et œuvre de l'auteur

1846   Publication du *Salon de 1846*.

1847   Charles rencontre l'actrice Marie Daubrun.
            Publication de la nouvelle «La Fanfarlo».

1848   Il participe à la révolution et collabore à un journal
            progressiste publié sous l'égide de Champfleury.

1849-   Baudelaire s'éloigne définitivement de l'agitation politique.
1851

1851   Publication de onze poèmes qui feront partie des *Fleurs du
            mal* dans la revue *Le Messager de l'Assemblée*.

1852   Il rencontre Mme Sabatier.

1854   Charles vit des amours orageuses avec Marie Daubrun.
            Traduction des *Contes extraordinaires* d'Edgar Allan Poe.

1855   Publication de dix-huit poèmes sous le titre *Les Fleurs du mal*,
            dans *La Revue des Deux Mondes*.

1856   Publication d'une étude sur Edgar Allan Poe et de la
            traduction des *Histoires extraordinaires* et des *Nouvelles
            Histoires extraordinaires*.

1857   Mort du général Aupick.
            Publication par l'éditeur Poulet-Malassis des *Fleurs du mal*
            (cent poèmes) ; procès.

1858   Charles Baudelaire fait un séjour à Honfleur, auprès
            de sa mère.

1859   Publication du *Salon de 1859*.

Repères historiques et culturels

1861   Représentation de *Tannhaüser* de Wagner à Paris.

1863   Manet, *Le Déjeuner sur l'herbe*.
Mort de Delacroix.

1866   Verlaine, *Poèmes saturniens*.

1867   Marx, *Le Capital*.

Vie et œuvre de l'auteur

1860   Publication des *Paradis artificiels*.

1861   Deuxième édition des *Fleurs du mal*.
Échec de la candidature du poète à l'Académie française.
C'est vraisemblablement à cette époque qu'il entreprend
la rédaction de *Mon cœur mis à nu* et de *Fusées*.

1862   Il est victime d'une attaque cérébrale. Publication
des premiers poèmes en prose.

1863   Publication du *Peintre de la vie moderne*, étude sur
Constantin Guys, et de *La Vie et l'Œuvre d'Eugène Delacroix*.

1864   Baudelaire se rend en Belgique pour y faire un cycle
de conférences.

1866   Il est victime d'une seconde attaque cérébrale dans
l'église Saint-Loup de Namur, qui le laisse aphasique et
hémiplégique.
Publication des *Épaves*, recueil de vingt-trois poèmes, dont
les pièces condamnées par le procès de 1857.

1867   Mort de Baudelaire, et enterrement au cimetière du
Montparnasse.

1868   Troisième édition des *Fleurs du mal*.

1869   Publication du *Spleen de Paris*.

NOTE SUR LE TEXTE DE LA PRÉSENTE ÉDITION : ce volume reproduit la deuxième édition des *Fleurs du mal* (1861), la dernière publiée du vivant de Baudelaire. Sont ajoutées, à la fin, les « Pièces condamnées » lors du procès de 1857 (voir présentation, p. 10).

Les Fleurs du mal

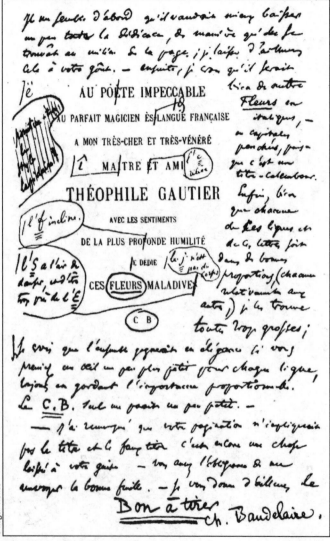

AU POÈTE IMPECCABLE

AU PARFAIT MAGICIEN ÈS LANGUE FRANÇAISE

A MON TRÈS-CHER ET TRÈS-VÉNÉRÉ

MAÎTRE ET AMI

THÉOPHILE GAUTIER

AVEC LES SENTIMENTS

DE LA PLUS PROFONDE HUMILITÉ

JE DÉDIE

CES FLEURS MALADIVES

C. B.

Ch. Baudelaire.

■ Épreuve de la dédicace des *Fleurs du mal* à Théophile Gautier, corrigée et annotée par Baudelaire (1857).

AU POÈTE IMPECCABLE
AU PARFAIT MAGICIEN ÈS LETTRES FRANÇAISES
À MON TRÈS CHER ET TRÈS VÉNÉRÉ
MAÎTRE ET AMI
THÉOPHILE GAUTIER
AVEC LES SENTIMENTS
DE LA PLUS PROFONDE HUMILITÉ
JE DÉDIE
CES FLEURS MALADIVES
C.B.

Au Lecteur

La sottise, l'erreur, le péché, la lésine[1]
Occupent nos esprits et travaillent nos corps,
Et nous alimentons nos aimables remords,
4   Comme les mendiants nourrissent leur vermine[2].

Nos péchés sont têtus, nos repentirs sont lâches ;
Nous nous faisons payer grassement nos aveux,
Et nous rentrons gaiement dans le chemin bourbeux[3],
8   Croyant par de vils pleurs laver toutes nos taches.

Sur l'oreiller du mal c'est Satan Trismégiste[4]
Qui berce longuement notre esprit enchanté[5],
Et le riche métal de notre volonté
12 Est tout vaporisé[6] par ce savant chimiste.

---

1. *Lésine* : avarice extrême.
2. *Vermine* : ensemble des insectes parasites de l'homme et des animaux.
3. *Bourbeux* : impur, souillé par de la boue.
4. *Trismégiste* : issu du grec, le mot signifie «triplement grand» ; ce qualificatif est traditionnellement attribué à Hermès dans la mythologie grecque pour louer ses qualités d'alchimiste, de musicien et de magicien.
5. *Enchanté* : sous l'emprise d'un enchantement, ensorcelé, envoûté.
6. *Vaporisé* : transformé en gaz.

C'est le Diable qui tient les fils qui nous remuent!
Aux objets répugnants nous trouvons des appas[1];
Chaque jour vers l'Enfer nous descendons d'un pas,
16 Sans horreur, à travers des ténèbres qui puent.

Ainsi qu'un débauché pauvre qui baise et mange
Le sein martyrisé d'une antique catin[2],
Nous volons au passage un plaisir clandestin
20 Que nous pressons bien fort comme une vieille orange.

Serré, fourmillant, comme un million d'helminthes[3],
Dans nos cerveaux ribote[4] un peuple de Démons,
Et, quand nous respirons, la Mort dans nos poumons
24 Descend, fleuve invisible, avec de sourdes plaintes.

Si le viol, le poison, le poignard, l'incendie,
N'ont pas encor[5] brodé de leurs plaisants dessins
Le canevas banal de nos piteux destins,
28 C'est que notre âme, hélas! n'est pas assez hardie.

Mais parmi les chacals, les panthères, les lices[6],
Les singes, les scorpions, les vautours, les serpents,
Les monstres glapissants, hurlants, grognants, rampants,
32 Dans la ménagerie[7] infâme de nos vices,

---

1. Appas : attraits, charmes qui excitent le désir et suscitent la convoitise (orthographe moderne : appâts).
2. Catin : prostituée.
3. Helminthes : vers qui parasitent l'intestin de l'homme ou de l'animal.
4. Ribote : mène une vie de débauche.
5. Élision du *e* final pour des raisons de versification.
6. Lices : femelles des chiens de chasse.
7. Ménagerie : lieu où sont exposés au public des animaux rares ou exotiques.

Il en est un plus laid, plus méchant, plus immonde !
Quoiqu'il ne pousse ni grands gestes ni grands cris,
Il ferait volontiers de la terre un débris
36 Et dans un bâillement avalerait le monde ;

C'est l'Ennui ! – l'œil chargé d'un pleur involontaire,
Il rêve d'échafauds en fumant son houka[1].
Tu le connais, lecteur, ce monstre délicat,
40 – Hypocrite lecteur, – mon semblable, – mon frère !

---

1. *Houka* : pipe orientale proche du narguilé qui contient une eau parfumée
que traverse la fumée avant d'arriver à la bouche du fumeur.

Spleen et Idéal

I. – Bénédiction

Lorsque, par un décret des puissances suprêmes,
Le Poète apparaît en ce monde ennuyé,
Sa mère épouvantée et pleine de blasphèmes[1]
4 Crispe ses poings vers Dieu, qui la prend en pitié :

– «Ah! que n'ai-je mis bas tout un nœud de vipères,
Plutôt que de nourrir cette dérision[2]!
Maudite soit la nuit aux plaisirs éphémères
8 Où mon ventre a conçu mon expiation[3]!

Puisque tu m'as choisie entre toutes les femmes
Pour être le dégoût de mon triste mari,
Et que je ne puis pas rejeter dans les flammes,
12 Comme un billet d'amour, ce monstre rabougri,

---

1. *Blasphèmes* : paroles outrageant la religion et la divinité.
2. *Dérision* : objet insignifiant et méprisable.
3. *Expiation* : peine infligée en réparation d'une faute.

Je ferai rejaillir ta haine qui m'accable
Sur l'instrument maudit de tes méchancetés,
Et je tordrai si bien cet arbre misérable,
16 Qu'il ne pourra pousser ses boutons empestés[1] ! »

Elle ravale ainsi l'écume de sa haine,
Et, ne comprenant pas les desseins[2] éternels,
Elle-même prépare au fond de la Géhenne[3]
20 Les bûchers consacrés aux crimes maternels.

Pourtant, sous la tutelle invisible d'un Ange,
L'Enfant déshérité s'enivre de soleil,
Et dans tout ce qu'il boit et dans tout ce qu'il mange
24 Retrouve l'ambroisie et le nectar[4] vermeil[5].

Il joue avec le vent, cause avec le nuage,
Et s'enivre en chantant du chemin de la croix[6] ;
Et l'Esprit qui le suit dans son pèlerinage
28 Pleure de le voir gai comme un oiseau des bois.

Tous ceux qu'il veut aimer l'observent avec crainte,
Ou bien, s'enhardissant de sa tranquillité,
Cherchent à qui saura lui tirer une plainte,
32 Et font sur lui l'essai de leur férocité.

---

1. Empestés : infestés d'une odeur fétide.
2. Desseins : projets, intentions.
3. Géhenne : nom biblique donné à l'Enfer, où sont châtiés les réprouvés.
4. Ambroisie, nectar : nourriture et boisson des dieux dans la mythologie grecque.
5. Vermeil : d'un rouge doré.
6. Chemin de la croix : longue marche de Jésus-Christ vers le lieu de sa crucifixion, pendant laquelle il porta lui-même la croix de son supplice.

Dans le pain et le vin[1] destinés à sa bouche
Ils mêlent de la cendre avec d'impurs crachats;
Avec hypocrisie ils jettent ce qu'il touche,
36 Et s'accusent d'avoir mis leurs pieds dans ses pas.

Sa femme va criant sur les places publiques :
«Puisqu'il me trouve assez belle pour m'adorer,
Je ferai le métier des idoles antiques[2],
40 Et comme elles je veux me faire redorer;

Et je me soûlerai de nard, d'encens, de myrrhe[3],
De génuflexions, de viandes et de vins,
Pour savoir si je puis dans un cœur qui m'admire
44 Usurper en riant les hommages divins!

Et, quand je m'ennuierai de ces farces impies[4],
Je poserai sur lui ma frêle et forte main;
Et mes ongles, pareils aux ongles des harpies[5],
48 Sauront jusqu'à son cœur se frayer un chemin.

Comme un tout jeune oiseau qui tremble et qui palpite,
J'arracherai ce cœur tout rouge de son sein,
Et, pour rassasier ma bête favorite,
52 Je le lui jetterai par terre avec dédain!»

---

1. Dans la religion chrétienne, pendant la communion, ou eucharistie, le pain et le vin symbolisent le corps et le sang du Christ sacrifiés pour le rachat des fautes humaines et partagés par les Apôtres lors de leur dernier repas commun avec Jésus, la Cène.
2. *Le métier des idoles antiques* : périphrase désignant la prostitution (allusion aux cultes païens qui vendaient aux fidèles des objets d'adoration, comme des statuettes en or ou en bronze figurant les divinités).
3. *Nard*, *encens*, *myrrhe* : parfums orientaux. L'encens et la myrrhe constituent, avec l'or, les cadeaux que les Rois mages apportèrent à l'Enfant Jésus.
4. *Impies* : qui méprisent la religion.
5. *Harpies* : monstres de la mythologie grecque composés d'une tête de femme et d'un corps d'oiseau.

Vers le Ciel, où son œil voit un trône splendide,
Le Poète serein lève ses bras pieux,
Et les vastes éclairs de son esprit lucide
56 Lui dérobent l'aspect des peuples furieux :

– «Soyez béni, mon Dieu, qui donnez la souffrance
Comme un divin remède à nos impuretés
Et comme la meilleure et la plus pure essence[1]
60 Qui prépare les forts aux saintes voluptés[2]!

Je sais que vous gardez une place au Poète
Dans les rangs bienheureux des saintes Légions[3],
Et que vous l'invitez à l'éternelle fête
64 Des Trônes, des Vertus, des Dominations[4].

Je sais que la douleur est la noblesse unique
Où ne mordront jamais la terre et les enfers,
Et qu'il faut pour tresser ma couronne mystique[5]
68 Imposer[6] tous les temps et tous les univers.

Mais les bijoux perdus de l'antique Palmyre[7],
Les métaux inconnus, les perles de la mer,
Par votre main montés, ne pourraient pas suffire
72 À ce beau diadème éblouissant et clair;

---

1. *Essence* : extrait d'une substance, obtenu par raffinements successifs.
2. *Voluptés* : plaisirs intenses.
3. *Saintes Légions* : armée des anges.
4. *Trônes*, *Vertus*, *Dominations* : termes de théologie désignant trois caté-
gories d'anges dans la hiérarchie céleste.
5. *Couronne mystique* : récompense divine accordée aux martyrs de la foi.
6. *Imposer* : poser sur, charger de, au sens étymologique latin. Le diadème
impose tous les siècles, c'est-à-dire pèse ou repose sur tous les siècles.
7. *Palmyre* : antique et fastueuse cité orientale, située en Mésopotamie, qui
fut pillée par les Romains puis par les Arabes.

Car il ne sera fait que de pure lumière,
Puisée au foyer saint des rayons primitifs,
Et dont les yeux mortels, dans leur splendeur entière,
76 Ne sont que des miroirs obscurcis et plaintifs!»

II. – L'Albatros[1]

Souvent, pour s'amuser, les hommes d'équipage
Prennent des albatros, vastes oiseaux des mers,
Qui suivent, indolents[2] compagnons de voyage,
4 Le navire glissant sur les gouffres amers.

À peine les ont-ils déposés sur les planches,
Que ces rois de l'azur, maladroits et honteux,
Laissent piteusement leurs grandes ailes blanches
8 Comme des avirons traîner à côté d'eux.

Ce voyageur ailé, comme il est gauche et veule[3]!
Lui, naguère si beau, qu'il est comique et laid!
L'un agace son bec avec un brûle-gueule[4],
12 L'autre mime, en boitant, l'infirme qui volait!

Le Poète est semblable au prince des nuées
Qui hante la tempête et se rit de l'archer;
Exilé sur le sol au milieu des huées,
16 Ses ailes de géant l'empêchent de marcher.

---

1. *Albatros* : oiseau palmipède, au plumage gris et blanc, qui évolue en milieu marin, particulièrement dans l'hémisphère Sud.
2. *Indolents* : paresseux, d'une nonchalance majestueuse (du latin *indolens*, «qui ne souffre pas, qui n'est pas sensible à la douleur»).
3. *Veule* : dénué de volonté jusqu'à la lâcheté.
4. *Brûle-gueule* : pipe de marin à tuyau très court.

III. – Élévation

Au-dessus des étangs, au-dessus des vallées,
Des montagnes, des bois, des nuages, des mers,
Par-delà le soleil, par-delà les éthers[1],
4 Par-delà les confins des sphères étoilées,

Mon esprit, tu te meus avec agilité,
Et, comme un bon nageur qui se pâme[2] dans l'onde,
Tu sillonnes gaiement l'immensité profonde
8 Avec une indicible et mâle volupté[3].

Envole-toi bien loin de ces miasmes[4] morbides;
Va te purifier dans l'air supérieur,
Et bois, comme une pure et divine liqueur,
12 Le feu clair qui remplit les espaces limpides.

Derrière les ennuis et les vastes chagrins
Qui chargent de leur poids l'existence brumeuse,
Heureux celui qui peut d'une aile vigoureuse
16 S'élancer vers les champs lumineux et sereins;

Celui dont les pensers[5], comme des alouettes,
Vers les cieux le matin prennent un libre essor,
– Qui plane sur la vie, et comprend sans effort
20 Le langage des fleurs et des choses muettes!

---

1. _Éthers_ : espaces célestes situés au-dessus de l'atmosphère et remplis d'un fluide subtil, mi-liquide mi-gazeux.
2. _Se pâme_ : est transporté de ravissement.
3. _Volupté_ : plaisir intense.
4. _Miasmes_ : émanations responsables de maladies infectieuses et d'épidémies.
5. _Pensers_ : archaïsme pour «pensées».

IV. – Correspondances

La Nature est un temple où de vivants piliers
Laissent parfois sortir de confuses paroles ;
L'homme y passe à travers des forêts de symboles
4 Qui l'observent avec des regards familiers.

Comme de longs échos qui de loin se confondent
Dans une ténébreuse et profonde unité,
Vaste comme la nuit et comme la clarté,
8 Les parfums, les couleurs et les sons se répondent.

Il est des parfums frais comme des chairs d'enfants,
Doux comme les hautbois[1], verts comme les prairies,
11 – Et d'autres, corrompus[2], riches et triomphants,

Ayant l'expansion des choses infinies,
Comme l'ambre[3], le musc[4], le benjoin[5] et l'encens,
14 Qui chantent les transports de l'esprit et des sens.

---

1. *Hautbois* : instruments à vent, en bois, à anche double.
2. *Corrompus* : dont la pureté a été altérée, dénaturés, qui ont subi des mélanges.
3. *Ambre* : parfum précieux, extrait d'une substance organique, de couleur grise ou rousse, sécrétée par le système intestinal des cachalots.
4. *Musc* : parfum très pénétrant obtenu à partir d'une substance brune ayant la consistance du miel, extraite des glandes abdominales de cervidés d'Asie.
5. *Benjoin* : arôme vanillé et sucré qui se dégage de la résine de certaines essences d'arbres du Moyen-Orient quand on la brûle.

V

J'aime le souvenir de ces époques nues,
Dont Phœbus[1] se plaisait à dorer les statues.
Alors l'homme et la femme en leur agilité
Jouissaient sans mensonge et sans anxiété,
5 Et, le ciel amoureux leur caressant l'échine[2],
Exerçaient la santé de leur noble machine[3].
Cybèle[4] alors, fertile en produits généreux,
Ne trouvait point ses fils un poids trop onéreux[5],
Mais, louve au cœur gonflé de tendresses communes,
10 Abreuvait l'univers à ses tétines brunes.
L'homme, élégant, robuste et fort, avait le droit
D'être fier des beautés qui le nommaient leur roi ;
Fruits purs de tout outrage et vierges de gerçures,
Dont la chair lisse et ferme appelait les morsures !

15 Le Poëte aujourd'hui, quand il veut concevoir
Ces natives[6] grandeurs, aux lieux[7] où se font voir
La nudité de l'homme et celle de la femme,
Sent un froid ténébreux envelopper son âme
Devant ce noir tableau plein d'épouvantement.
20 Ô monstruosités pleurant leur vêtement !
Ô ridicules troncs ! torses dignes des masques !
Ô pauvres corps tordus, maigres, ventrus ou flasques,

---

1. Phœbus : dieu du Soleil dans la mythologie romaine. Autre nom d'Apollon, dieu grec de la Poésie et des Arts.
2. Échine : dos.
3. Machine : corps.
4. Cybèle : déesse antique de la Terre, de l'Agriculture et de la Végétation, garante de fécondité et de fertilité dans la mythologie grecque.
5. Onéreux : au sens étymologique, lourd, pesant.
6. Natives : originelles, premières.
7. Lieux : terme générique qui désigne les ateliers des peintres et des sculpteurs.

Que le dieu de l'Utile, implacable et serein,
Enfants, emmaillota dans ses langes d'airain[1] !
25 Et vous, femmes, hélas ! pâles comme des cierges,
Que ronge et que nourrit la débauche, et vous, vierges,
Du vice maternel traînant l'hérédité
Et toutes les hideurs de la fécondité !

Nous avons, il est vrai, nations corrompues,
30 Aux peuples anciens des beautés inconnues :
Des visages rongés par les chancres[2] du cœur,
Et comme qui dirait des beautés de langueur[3] ;
Mais ces inventions de nos muses[4] tardives
N'empêcheront jamais les races maladives
35 De rendre à la jeunesse un hommage profond,
– À la sainte jeunesse, à l'air simple, au doux front,
À l'œil limpide et clair ainsi qu'une eau courante,
Et qui va répandant sur tout, insouciante
Comme l'azur du ciel, les oiseaux et les fleurs,
40 Ses parfums, ses chansons et ses douces chaleurs !

---

1. *Airain* : terme ancien pour désigner le bronze.
2. *Chancres* : plaies cutanées, symptômes de maladie vénérienne.
3. *Langueur* : faiblesse due à la fièvre ou à la maladie.
4. *Muses* : dans la mythologie grecque, divinités au nombre de neuf, figurant les arts, et notamment l'inspiration poétique.

VI. – Les Phares

Rubens[1], fleuve d'oubli, jardin de la paresse,
Oreiller de chair fraîche où l'on ne peut aimer,
Mais où la vie afflue et s'agite sans cesse,
4 Comme l'air dans le ciel et la mer dans la mer;

Léonard de Vinci[2], miroir profond et sombre,
Où des anges charmants, avec un doux souris[3]
Tout chargé de mystère, apparaissent à l'ombre
8 Des glaciers et des pins qui ferment leur pays;

Rembrandt[4], triste hôpital tout rempli de murmures,
Et d'un grand crucifix décoré seulement,
Où la prière en pleurs s'exhale des ordures,
12 Et d'un rayon d'hiver traversé brusquement;

Michel-Ange[5], lieu vague où l'on voit des Hercules
Se mêler à des Christs, et se lever tout droits
Des fantômes puissants qui dans les crépuscules
16 Déchirent leur suaire[6] en étirant leurs doigts;

---

1. Rubens : peintre flamand du XVIIe siècle d'esthétique baroque, caractérisé par le génie du mouvement et l'opulence des formes.
2. Léonard de Vinci : peintre italien de la Renaissance, célèbre pour le portrait de Mona Lisa, *La Joconde*, mais aussi pour ses compositions représentant la Vierge et l'Enfant Jésus, entourée de sainte Anne, dans un décor naturel de roches ou de lointains paysages bucoliques.
3. Souris : archaïsme pour «sourire».
4. Rembrandt : peintre hollandais du XVIIe siècle, célèbre pour son clair-obscur.
5. Michel-Ange : peintre et sculpteur italien de la Renaissance, ayant réalisé les fresques de la chapelle Sixtine à Rome, notamment le Jugement dernier, dont il pourrait s'agir ici.
6. Suaire : linceul, pièce d'étoffe blanche dans laquelle on ensevelit un mort.

Colères de boxeur, impudences[1] de faune[2],
Toi qui sus ramasser la beauté des goujats[3],
Grand cœur gonflé d'orgueil, homme débile[4] et jaune,
20 Puget[5], mélancolique empereur des forçats[6] ;

Watteau[7], ce carnaval où bien des cœurs illustres,
Comme des papillons, errent en flamboyant,
Décors frais et léger éclairés par des lustres
24 Qui versent la folie à ce bal tournoyant ;

Goya[8], cauchemar plein de choses inconnues,
De fœtus qu'on fait cuire au milieu des sabbats[9],
De vieilles au miroir et d'enfants toutes nues,
28 Pour tenter les démons ajustant bien leurs bas ;

---

1. Impudences : audaces, effronteries.
2. Faune : divinité champêtre de la mythologie romaine ayant un torse
humain, des oreilles pointues, des pieds et des cornes de chèvre (synonyme :
satyre). Créature libidineuse.
3. Goujats : apprentis ouvriers ou valets d'armée, servant une personne ou
une cause, sans nuance péjorative au sens propre.
4. Débile : faible, sans force.
5. Puget : sculpteur français du XVIIᵉ siècle, célèbre pour son *Milon de Crotone*,
qui se serait inspiré des forçats du bagne de Toulon comme modèles.
6. Forçats : criminels condamnés aux travaux forcés.
7. Watteau : peintre français du XVIIIᵉ siècle, célèbre pour son univers raffiné
de fêtes galantes.
8. Goya : peintre et graveur espagnol de la fin du XVIIIᵉ siècle-début du XIXᵉ,
qui mêlait dans ses œuvres le grotesque, le fantastique et le satirique.
9. Sabbats : assemblées nocturnes de sorciers et de sorcières dont les danses
et les orgies, comparables par leur fureur et leur agitation aux rites de l'Antiquité païenne, rendent hommage au diable.

Delacroix[1], lac de sang hanté des mauvais anges,
Ombragé par un bois de sapins toujours vert,
Où, sous un ciel chagrin, des fanfares étranges
32 Passent, comme un soupir étouffé de Weber[2];

Ces malédictions, ces blasphèmes[3], ces plaintes,
Ces extases, ces cris, ces pleurs, ces *Te Deum*[4],
Sont un écho redit par mille labyrinthes;
36 C'est pour les cœurs mortels un divin opium!

C'est un cri répété par mille sentinelles,
Un ordre renvoyé par mille porte-voix;
C'est un phare allumé sur mille citadelles,
40 Un appel de chasseurs perdus dans les grands bois!

Car c'est vraiment, Seigneur, le meilleur témoignage
Que nous puissions donner de notre dignité
Que cet ardent sanglot qui roule d'âge en âge
44 Et vient mourir au bord de votre éternité!

---

1. *Delacroix* : peintre français du XIXᵉ siècle, appartenant au romantisme, auquel Baudelaire vouait une admiration extrême. En lui, il célébrait le champion du «surnaturalisme» capable d'exprimer les drames métaphysiques et humains.
2. *Weber* : compositeur allemand du début du XIXᵉ siècle.
3. *Blasphèmes* : paroles outrageant la religion et la divinité.
4. *Te Deum* : nom du cantique chrétien qui commence en latin par ces mots «*Te Deum laudamus*», «Nous te louons Seigneur».

VII. – La Muse[1] malade

Ma pauvre muse, hélas ! qu'as-tu donc ce matin ?
Tes yeux creux sont peuplés de visions nocturnes,
Et je vois tour à tour réfléchis sur ton teint
4   La folie et l'horreur, froides et taciturnes[2].

Le succube[3] verdâtre et le rose lutin[4]
T'ont-ils versé la peur et l'amour de leurs urnes ?
Le cauchemar, d'un poing despotique et mutin[5],
8   T'a-t-il noyée au fond d'un fabuleux Minturnes[6] ?

Je voudrais qu'exhalant l'odeur de la santé
Ton sein de pensers[7] forts fût toujours fréquenté,
11   Et que ton sang chrétien coulât à flots rythmiques,

Comme les sons nombreux des syllabes antiques,
Où règnent tour à tour le père des chansons,
14   Phœbus[8], et le grand Pan[9], le seigneur des moissons.

---

1. *Muse* : dans la mythologie grecque, divinités figurant les arts, et notamment l'inspiration poétique.
2. *Taciturnes* : silencieuses.
3. *Succube* : démon femelle couchant avec un homme pendant son sommeil.
4. *Lutin* : petit démon espiègle et malicieux qui se manifeste surtout la nuit.
5. *Mutin* : insoumis, rebelle.
6. *Minturnes* : ville antique du Latium – région italienne –, célèbre pour ses marécages qui abritèrent les exploits de Marius lors de son combat contre Sylla pour conquérir Rome.
7. *Pensers* : archaïsme pour «pensées».
8. *Phœbus* : dieu du Soleil, dans la mythologie romaine. Autre nom d'Apollon, dieu grec de la poésie et des arts.
9. *Pan* : dieu grec de la nature sauvage, des bergers et des troupeaux.

VIII. – La Muse vénale

Ô muse de mon cœur, amante des palais,
Auras-tu, quand Janvier lâchera ses Borées[1],
Durant les noirs ennuis des neigeuses soirées,
4 Un tison[2] pour chauffer tes deux pieds violets ?

Ranimeras-tu donc tes épaules marbrées[3]
Aux nocturnes rayons qui percent les volets ?
Sentant ta bourse à sec autant que ton palais,
8 Récolteras-tu l'or des voûtes azurées ?

Il te faut, pour gagner ton pain de chaque soir,
Comme un enfant de chœur, jouer de l'encensoir[4],
11 Chanter des *Te Deum*[5] auxquels tu ne crois guère,

Ou, saltimbanque à jeun, étaler tes appas[6]
Et ton rire trempé de pleurs qu'on ne voit pas,
14 Pour faire épanouir la rate[7] du vulgaire.

---

1. *Borées* : personnifications divines des vents du nord dans la mythologie grecque.
2. *Tison* : reste de bois, de bûches dont une partie a brûlé.
3. *Marbrées* : dont les veines, que le froid fait saillir, ont l'aspect du marbre.
4. *Encensoir* : récipient dans lequel on fait brûler de l'encens. Au sens figuré, «jouer de l'encensoir» signifie «flatter excessivement, flagorner», sens que l'on retrouve dans «encenser».
5. *Te Deum* : nom du cantique chrétien qui commence en latin par ces mots «*Te Deum laudamus*», «Nous te louons Seigneur».
6. *Appas* : attraits, charmes qui excitent le désir et suscitent la convoitise (orthographe moderne : appâts).
7. *Épanouir la rate* : désopiler ou dilater la rate en la purgeant de l'humeur noire et, par extension, égayer, faire rire.

IX. – Le Mauvais Moine

Les cloîtres anciens sur leurs grandes murailles
Étalaient en tableaux la sainte Vérité,
Dont l'effet, réchauffant les pieuses entrailles,
4 Tempérait la froideur de leur austérité.

En ces temps où du Christ florissaient les semailles,
Plus d'un illustre moine, aujourd'hui peu cité,
Prenant pour atelier le champ des funérailles[1],
8 Glorifiait la Mort avec simplicité.

– Mon âme est un tombeau que, mauvais cénobite[2],
Depuis l'éternité je parcours et j'habite ;
11 Rien n'embellit les murs de ce cloître odieux.

Ô moine fainéant ! quand saurai-je donc faire
Du spectacle vivant de ma triste misère
14 Le travail de mes mains et l'amour de mes yeux ?

X. – L'Ennemi

Ma jeunesse ne fut qu'un ténébreux orage,
Traversé çà et là par de brillants soleils ;
Le tonnerre et la pluie ont fait un tel ravage,
4 Qu'il reste en mon jardin bien peu de fruits vermeils[3].

---

1. *Le champ des funérailles* : périphrase qui désigne le cimetière.
2. *Cénobite* : moine qui vit en communauté, par opposition à l'anachorète, qui vit seul.
3. *Vermeils* : d'un rouge doré.

Voilà que j'ai touché l'automne des idées,
Et qu'il faut employer la pelle et les râteaux
Pour rassembler à neuf les terres inondées,
8   Où l'eau creuse des trous grands comme des tombeaux.

Et qui sait si les fleurs nouvelles que je rêve
Trouveront dans ce sol lavé comme une grève[1]
11   Le mystique aliment qui ferait leur vigueur ?

– Ô douleur ! ô douleur ! Le Temps mange la vie,
Et l'obscur Ennemi qui nous ronge le cœur
14   Du sang que nous perdons croît et se fortifie !

XI. – Le Guignon[2]

Pour soulever un poids si lourd,
Sisyphe[3], il faudrait ton courage !
Bien qu'on ait du cœur à l'ouvrage,
4   L'Art est long et le Temps est court.

Loin des sépultures célèbres,
Vers un cimetière isolé,
Mon cœur, comme un tambour voilé,
8   Va battant des marches funèbres.

---

1. Grève : bord de mer, rivage stérile où rien ne pousse.
2. Guignon : de «guigne», malchance continuelle.
3. Sisyphe : personnage de la mythologie grecque condamné par Zeus aux Enfers et à un supplice cruel : pousser un énorme rocher jusqu'en haut d'une montagne, jusqu'à ce qu'il retombe, et recommencer éternellement cet inutile effort.

– Maint joyau dort enseveli
Dans les ténèbres et l'oubli,
11 Bien loin des pioches et des sondes ;

Mainte fleur épanche à regret
Son parfum doux comme un secret
14 Dans les solitudes profondes.

XII. – La Vie antérieure

J'ai longtemps habité sous de vastes portiques[1]
Que les soleils marins teignaient de mille feux,
Et que leurs grands piliers, droits et majestueux,
4 Rendaient pareils, le soir, aux grottes basaltiques[2].

Les houles[3], en roulant les images des cieux,
Mêlaient d'une façon solennelle et mystique
Les tout-puissants accords de leur riche musique
8 Aux couleurs du couchant reflété par mes yeux.

C'est là que j'ai vécu dans les voluptés[4] calmes,
Au milieu de l'azur, des vagues, des splendeurs
11 Et des esclaves nus, tout imprégnés d'odeurs,

---

1. Portiques : galeries couvertes dont la voûte est soutenue par des colonnes, très fréquentes dans les monuments antiques ouverts sur l'extérieur.
2. Basaltiques : composées de basalte, roche volcanique de couleur sombre.
3. Houles : mouvement d'ondulation des vagues provoqué par le vent.
4. Voluptés : plaisirs intenses.

Qui me rafraîchissaient le front avec des palmes,
Et dont l'unique soin était d'approfondir
14 Le secret douloureux qui me faisait languir.

XIII. – Bohémiens en voyage

La tribu prophétique aux prunelles ardentes
Hier s'est mise en route, emportant ses petits
Sur son dos, ou livrant à leurs fiers[1] appétits
4 Le trésor toujours prêt des mamelles pendantes.

Les hommes vont à pied sous leurs armes luisantes
Le long des chariots où les leurs sont blottis,
Promenant sur le ciel des yeux appesantis
8 Par le morne regret des chimères[2] absentes.

Du fond de son réduit sablonneux, le grillon,
Les regardant passer, redouble sa chanson ;
11 Cybèle[3], qui les aime, augmente ses verdures,

Fait couler le rocher et fleurir le désert[4]
Devant ces voyageurs, pour lesquels est ouvert
14 L'empire familier des ténèbres futures.

---

1. *Fiers* : sens étymologique, farouches, sauvages.
2. *Chimères* : monstres mythologiques composés de parties d'animaux différents, synonymes d'illusions, de fantasmes ou de visions de l'esprit.
3. *Cybèle* : déesse antique de la Terre, de l'Agriculture et de la Végétation, garante de fécondité et de fertilité dans la mythologie grecque.
4. Sans doute Baudelaire fait-il ici référence à l'épisode biblique de l'Exode, au cours duquel Moïse fait jaillir une source dans le désert d'Horeb pour abreuver le peuple hébreu (Exode 17, 3-7).

Ces pauures gueux pleins de bonaduentures
Ne portent rien que des Choses futures.

■ Gravure de Jacques Callot (1592-1635) dont s'inspire probablement le poème « Bohémiens en voyage ».

XIV. – L'Homme et la mer

Homme libre, toujours tu chériras la mer !
La mer est ton miroir ; tu contemples ton âme
Dans le déroulement infini de sa lame[1],
4 Et ton esprit n'est pas un gouffre moins amer.

Tu te plais à plonger au sein de ton image ;
Tu l'embrasses des yeux et des bras, et ton cœur
Se distrait quelquefois de sa propre rumeur
8 Au bruit de cette plainte indomptable et sauvage.

Vous êtes tous les deux ténébreux et discrets :
Homme, nul n'a sondé le fond de tes abîmes[2] ;
Ô mer, nul ne connaît tes richesses intimes,
12 Tant vous êtes jaloux de garder vos secrets !

Et cependant voilà des siècles innombrables
Que vous vous combattez sans pitié ni remord[3],
Tellement vous aimez le carnage et la mort,
16 Ô lutteurs éternels, ô frères implacables !

---

1. *Lame* : vague violente produite par un courant sous-marin ou un coup de vent ; plus généralement, mouvement des vagues.
2. *Abîmes* : au sens propre, profondeurs insondables de l'océan.
3. *Remord* : licence poétique pour «remords».

XV. – Don Juan aux enfers

Quand Don Juan descendit vers l'onde souterraine
Et lorsqu'il eut donné son obole[1] à Charon,
Un sombre mendiant, l'œil fier comme Antisthène[2],
4   D'un bras vengeur et fort saisit chaque aviron.

Montrant leurs seins pendants et leurs robes ouvertes,
Des femmes se tordaient sous le noir firmament[3],
Et, comme un grand troupeau de victimes offertes,
8   Derrière lui traînaient un long mugissement.

Sganarelle[4] en riant lui réclamait ses gages,
Tandis que Don Luis[5] avec un doigt tremblant
Montrait à tous les morts errant sur les rivages
12   Le fils audacieux qui railla son front blanc[6].

Frissonnant sous son deuil, la chaste et maigre Elvire[7],
Près de l'époux perfide et qui fut son amant,
Semblait lui réclamer un suprême sourire
16   Où brillât la douceur de son premier serment.

---

1. *Obole* : pièce de monnaie que les Anciens plaçaient sous la langue des défunts afin d'acquitter auprès du passeur Charon le prix de leur transport en barque, lors de la traversée du Styx, pour rejoindre les Enfers.
2. *Antisthène* : philosophe grec, de l'époque socratique (VI et IVᵉ siècles av. J.-C.), fondateur de l'école cynique, qui enseignait le mépris des richesses et des conventions sociales et prônait un retour à l'ordre de la nature.
3. *Firmament* : voûte céleste.
4. *Sganarelle* : valet de Dom Juan dans la pièce de Molière (*Dom Juan*, 1665) ; au dénouement, il réclame obstinément ses gages à son maître.
5. *Don Luis* : dans la pièce de Molière, père de Dom Juan ; ses exhortations morales sont tournées en dérision par son fils.
6. *Blanc* : couvert de cheveux blancs, âgé.
7. *Elvire* : dans la pièce de Molière, victime que Dom Juan a séduite puis abandonnée, aussitôt après l'avoir épousée. À la scène 6 de l'acte IV, revêtue d'un voile, elle vient supplier l'offenseur de retrouver la voie de la vertu.

Tout droit dans son armure, un grand homme de pierre[1]
Se tenait à la barre et coupait le flot noir,
Mais le calme héros, courbé sur sa rapière[2],
20 Regardait le sillage et ne daignait rien voir.

XVI. – Châtiment de l'orgueil

En ces temps merveilleux où la Théologie[3]
Fleurit avec le plus de sève et d'énergie,
On raconte qu'un jour un docteur des plus grands,
– Après avoir forcé les cœurs indifférents ;
5 Les avoir remués dans leurs profondeurs noires ;
Après avoir franchi vers les célestes gloires
Des chemins singuliers à lui-même inconnus,
Où les purs Esprits seuls peut-être étaient venus, –
Comme un homme monté trop haut, pris de panique,
10 S'écria, transporté d'un orgueil satanique :
« Jésus, petit Jésus ! je t'ai poussé bien haut !
Mais, si j'avais voulu t'attaquer au défaut
De l'armure, ta honte égalerait ta gloire,
Et tu ne serais plus qu'un fœtus dérisoire ! »

---

1. *Un grand homme de pierre* : allusion à la statue du Commandeur qui,
à la fin de la pièce, s'anime et foudroie le criminel. Celui qu'elle représente a
été tué en duel par Dom Juan six mois auparavant.
2. *Rapière* : longue épée, effilée et tranchante.
3. *Théologie* : science qui étudie les questions religieuses.

15 Immédiatement sa raison s'en alla.
L'éclat de ce soleil d'un crêpe[1] se voila ;
Tout le chaos[2] roula dans cette intelligence,
Temple autrefois vivant, plein d'ordre et d'opulence[3],
Sous les plafonds duquel tant de pompe avait lui.
20 Le silence et la nuit s'installèrent en lui,
Comme dans un caveau dont la clef est perdue.
Dès lors il fut semblable aux bêtes de la rue,
Et, quand il s'en allait sans rien voir, à travers
Les champs, sans distinguer les étés des hivers,
25 Sale, inutile et laid comme une chose usée,
Il faisait des enfants la joie et la risée.

XVII. – La Beauté

Je suis belle, ô mortels ! comme un rêve de pierre,
Et mon sein, où chacun s'est meurtri tour à tour,
Est fait pour inspirer au poète un amour
4 Éternel et muet ainsi que la matière.

Je trône dans l'azur comme un sphinx[4] incompris ;
J'unis un cœur de neige à la blancheur des cygnes ;
Je hais le mouvement qui déplace les lignes,
8 Et jamais je ne pleure et jamais je ne ris.

---

1. Crêpe : voile de tissu noir léger et ondulé, porté en signe de deuil.
2. Chaos : désordre, confusion. Nom donné dans la cosmogonie grecque comme dans la tradition judéo-chrétienne à l'état d'indifférenciation de la matière et des éléments qui précède l'organisation du monde.
3. Opulence : abondance de biens matériels.
4. Sphinx : monstre fabuleux de la mythologie grecque, qui possède une tête et un buste de femme, un corps de lion et des ailes d'oiseau. Il terrorisait Thèbes, en proposant des énigmes aux passants et en dévorant ceux qui ne parvenaient pas à les résoudre.

Les poètes, devant mes grandes attitudes,
Que j'ai l'air d'emprunter aux plus fiers monuments,
11 Consumeront leurs jours en d'austères études;

Car j'ai, pour fasciner ces dociles amants,
De purs miroirs qui font toutes choses plus belles :
14 Mes yeux, mes larges yeux aux clartés éternelles!

XVIII. – L'Idéal

Ce ne seront jamais ces beautés de vignettes[1],
Produits avariés, nés d'un siècle vaurien,
Ces pieds à brodequins[2], ces doigts à castagnettes,
4 Qui sauront satisfaire un cœur comme le mien.

Je laisse à Gavarni[3], poète des chloroses[4],
Son troupeau gazouillant de beautés d'hôpital,
Car je ne puis trouver parmi ces pâles roses
8 Une fleur qui ressemble à mon rouge idéal.

---

1. *Beautés de vignettes* : dessins ornant la première page d'un livre ou d'un chapitre et représentant des figures de femmes aux charmes un peu vulgaires.
2. *Brodequins* : bottines à lacets pour les femmes.
3. *Gavarni* : dessinateur et caricaturiste contemporain de Baudelaire que ce dernier, dans son article «Quelques caricaturistes français», salue comme le grand spécialiste de la «lorette». La lorette, au XIXᵉ siècle, désigne une fille de condition modeste et de mœurs faciles, qui n'hésite pas à se faire entretenir (du nom de l'église Notre-Dame-de-Lorette, située dans un quartier de Paris où vivaient beaucoup de femmes légères).
4. *Chloroses* : anémies qui se traduisent par une pâleur excessive. Par effet de mode, cette blancheur maladive était très recherchée des femmes de l'époque.

■ Statue de Michel-Ange représentant la Nuit, évoquée par Baudelaire dans son sonnet « L'Idéal ». Elle orne le tombeau de Julien de Médicis à Florence (San Lorenzo).

Ce qu'il faut à ce cœur profond comme un abîme[1],
C'est vous, Lady Macbeth[2], âme puissante au crime,
11 Rêve d'Eschyle[3] éclos au climat des autans[4];

Ou bien toi, grande Nuit[5], fille de Michel-Ange,
Qui tors paisiblement dans une pose étrange
14 Tes appas[6] façonnés aux bouches des Titans[7]!

XIX. – La Géante

Du temps que la Nature en sa verve[8] puissante
Concevait chaque jour des enfants monstrueux,
J'eusse aimé vivre auprès d'une jeune géante,
4 Comme aux pieds d'une reine un chat voluptueux.

---

1. *Abîme* : ici, sens figuré, profondeur insondable, gouffre.
2. *Lady Macbeth* : dans la tragédie de Shakespeare (*Macbeth*, v. 1606), épouse de Macbeth qui pousse son mari à assassiner le roi d'Écosse Duncan afin d'usurper son trône.
3. *Eschyle* : un des trois grands dramaturges grecs qui, avec Sophocle et Euripide, immortalisa dans ses pièces les destinées tragiques des héros de la mythologie grecque (Ve siècle av. J.-C.).
4. *Autans* : vents violents qui viennent de la haute mer.
5. *Nuit* : nom d'une statue sculptée par Michel-Ange pour orner le tombeau des Médicis à Florence. La Nuit, fille d'Ouranos et de Gaïa, est aussi la plus ancienne des divinités grecques, et la mère des Titans, géants monstrueux que les dieux de l'Olympe précipiteront aux Enfers.
6. *Appas* : attraits, charmes qui excitent le désir et suscitent la convoitise (orthographe moderne : «appâts»).
7. Allusion aux seins de la déesse antique qui ont allaité les Titans, et qui sont animés d'un mouvement de torsion bizarre dans l'œuvre de Michel-Ange.
8. *Verve* : inspiration vive et chaleureuse, imagination créatrice.

J'eusse aimé voir son corps fleurir avec son âme
Et grandir librement dans ses terribles jeux ;
Deviner si son cœur couve une sombre flamme
8   Aux humides brouillards qui nagent dans ses yeux ;

Parcourir à loisir ses magnifiques formes ;
Ramper sur le versant de ses genoux énormes,
11   Et parfois en été, quand les soleils malsains,

Lasse, la font s'étendre à travers la campagne,
Dormir nonchalamment à l'ombre de ses seins,
14   Comme un hameau paisible au pied d'une montagne.

XX. – Le Masque

Statue allégorique
dans le goût de la Renaissance

À Ernest Christophe, statuaire.

Contemplons ce trésor de grâces florentines ;
Dans l'ondulation de ce corps musculeux
L'Élégance et la Force abondent, sœurs divines.
Cette femme, morceau vraiment miraculeux,
5   Divinement robuste, adorablement mince,
Est faite pour trôner sur des lits somptueux,
Et charmer les loisirs d'un pontife[1] ou d'un prince.

---

1. Pontife : haut dignitaire de l'Église.

– Aussi, vois ce souris[1] fin et voluptueux
Où la Fatuité[2] promène son extase;
10 Ce long regard sournois, langoureux et moqueur;
Ce visage mignard[3], tout encadré de gaze,
Dont chaque trait nous dit avec un air vainqueur:
«La Volupté[4] m'appelle et l'Amour me couronne!»
À cet être doué de tant de majesté
15 Vois quel charme excitant la gentillesse donne!
Approchons, et tournons autour de sa beauté.

Ô blasphème[5] de l'art! ô surprise fatale!
La femme au corps divin, promettant le bonheur,
Par le haut se termine en monstre bicéphale[6]!

20 – Mais non! ce n'est qu'un masque, un décor suborneur[7],
Ce visage éclairé d'une exquise grimace,
Et, regarde, voici, crispée atrocement,
La véritable tête, et la sincère face
Renversée à l'abri de la face qui ment.
25 Pauvre grande beauté! le magnifique fleuve
De tes pleurs aboutit dans mon cœur soucieux;
Ton mensonge m'enivre, et mon âme s'abreuve
Aux flots que la Douleur fait jaillir de tes yeux!

– Mais pourquoi pleure-t-elle? Elle, beauté parfaite
30 Qui mettrait à ses pieds le genre humain vaincu,
Quel mal mystérieux ronge son flanc d'athlète?

---

1. *Souris* : archaïsme pour «sourire».
2. *Fatuité* : suffisance, vanité.
3. *Mignard* : d'une délicatesse affectée.
4. *Volupté* : plaisir intense, ici allégorisé.
5. *Blasphème* : parole outrageant la religion et la divinité.
6. *Bicéphale* : à deux têtes.
7. *Suborneur* : trompeur, corrupteur.

– Elle pleure, insensé, parce qu'elle a vécu !
Et parce qu'elle vit ! Mais ce qu'elle déplore
Surtout, ce qui la fait frémir jusqu'aux genoux,
35 C'est que demain, hélas ! il faudra vivre encore !
Demain, après-demain et toujours ! – comme nous !

XXI. – Hymne à la Beauté

Viens-tu du ciel profond ou sors-tu de l'abîme[1],
Ô Beauté ! ton regard, infernal et divin,
Verse confusément le bienfait et le crime,
4 Et l'on peut pour cela te comparer au vin.

Tu contiens dans ton œil le couchant et l'aurore ;
Tu répands des parfums comme un soir orageux ;
Tes baisers sont un philtre[2] et ta bouche une amphore[3]
8 Qui font le héros lâche et l'enfant courageux.

Sors-tu du gouffre noir ou descends-tu des astres ?
Le Destin charmé suit tes jupons comme un chien ;
Tu sèmes au hasard la joie et les désastres,
12 Et tu gouvernes tout et ne réponds de rien.

Tu marches sur des morts, Beauté, dont tu te moques ;
De tes bijoux l'Horreur n'est pas le moins charmant,
Et le Meurtre, parmi tes plus chères breloques[4],
16 Sur ton ventre orgueilleux danse amoureusement.

---

1. Abîme : au sens propre, profondeur insondable de l'océan.
2. Philtre : breuvage magique qui inspire l'amour.
3. Amphore : vase antique contenant du vin.
4. Breloques : bijoux de peu de valeur.

L'éphémère[1] ébloui vole vers toi, chandelle,
Crépite, flambe et dit : Bénissons ce flambeau !
L'amoureux pantelant[2] incliné sur sa belle
20 A l'air d'un moribond[3] caressant son tombeau.

Que tu viennes du ciel ou de l'enfer, qu'importe,
Ô Beauté ! monstre énorme, effrayant, ingénu !
Si ton œil, ton souris[4], ton pied, m'ouvrent la porte
24 D'un Infini que j'aime et n'ai jamais connu ?

De Satan ou de Dieu, qu'importe ? Ange ou Sirène,
Qu'importe, si tu rends, – fée aux yeux de velours,
Rythme, parfum, lueur, ô mon unique reine ! –
28 L'univers moins hideux et les instants moins lourds ?

XXII. – Parfum exotique

Quand, les deux yeux fermés, en un soir chaud d'automne,
Je respire l'odeur de ton sein chaleureux,
Je vois se dérouler des rivages heureux
4 Qu'éblouissent les feux d'un soleil monotone[5] ;

Une île paresseuse où la nature donne
Des arbres singuliers et des fruits savoureux ;
Des hommes dont le corps est mince et vigoureux,
8 Et des femmes dont l'œil par sa franchise étonne.

---

1. *Éphémère* : insecte qui ne vit que quelques heures ou quelques jours.
2. *Pantelant* : qui est à bout de souffle, exténué, épuisé.
3. *Moribond* : personne qui est sur le point de mourir.
4. *Souris* : archaïsme pour «sourire».
5. *Monotone* : uniforme, continu, qui ne varie pas (sens étymologique).

Guidé par ton odeur vers de charmants climats,
Je vois un port rempli de voiles et de mâts
11 Encor[1] tout fatigués par la vague marine,

Pendant que le parfum des verts tamariniers[2],
Qui circule dans l'air et m'enfle la narine,
14 Se mêle dans mon âme au chant des mariniers[3].

XXIII. – La Chevelure

Ô toison, moutonnant jusque sur l'encolure!
Ô boucles! Ô parfum chargé de nonchaloir[4]!
Extase! Pour peupler ce soir l'alcôve[5] obscure
Des souvenirs dormant dans cette chevelure,
5 Je la veux agiter dans l'air comme un mouchoir!

La langoureuse Asie et la brûlante Afrique,
Tout un monde lointain, absent, presque défunt,
Vit dans tes profondeurs, forêt aromatique!
Comme d'autres esprits voguent sur la musique,
10 Le mien, ô mon amour! nage sur ton parfum.

---

1. Élision du *e* final pour des raisons de versification.
2. *Tamariniers* : grands arbres des régions tropicales, portant des grappes de fleurs jaunes ou rouges.
3. *Mariniers* : marins.
4. *Nonchaloir* : nonchalance, abandon.
5. *Alcôve* : lieu secret des amours.

J'irai là-bas où l'arbre et l'homme, pleins de sève,
Se pâment[1] longuement sous l'ardeur des climats;
Fortes tresses, soyez la houle[2] qui m'enlève!
Tu contiens, mer d'ébène, un éblouissant rêve
15 De voiles, de rameurs, de flammes et de mâts :

Un port retentissant où mon âme peut boire
À grands flots le parfum, le son et la couleur;
Où les vaisseaux, glissant dans l'or et dans la moire[3],
Ouvrent leurs vastes bras pour embrasser la gloire
20 D'un ciel pur où frémit l'éternelle chaleur.

Je plongerai ma tête amoureuse d'ivresse
Dans ce noir océan où l'autre est enfermé;
Et mon esprit subtil que le roulis[4] caresse
Saura vous retrouver, ô féconde paresse,
25 Infinis bercements du loisir embaumé!

Cheveux bleus, pavillon[5] de ténèbres tendues,
Vous me rendez l'azur du ciel immense et rond;
Sur les bords duvetés de vos mèches tordues
Je m'enivre ardemment des senteurs confondues
30 De l'huile de coco, du musc[6] et du goudron.

---

1. Se pâment : sont transportés de ravissement.
2. Houle : mouvement d'ondulation des vagues suscité par le vent.
3. Moire : étoffe aux reflets changeants.
4. Roulis : mouvement que subit le bateau, dans l'axe de sa largeur, sous l'effet de la houle et du vent.
5. Pavillon : étendard, drapeau.
6. Musc : parfum très pénétrant obtenu à partir d'une substance brune ayant la consistance du miel et extraite des glandes abdominales de cervidés d'Asie.

Longtemps! toujours! ma main dans ta crinière lourde
Sèmera le rubis, la perle et le saphir,
Afin qu'à mon désir tu ne sois jamais sourde!
N'es-tu pas l'oasis où je rêve, et la gourde
35 Où je hume[1] à longs traits le vin du souvenir?

XXIV

Je t'adore à l'égal de la voûte nocturne,
Ô vase de tristesse, ô grande taciturne[2],
Et t'aime d'autant plus, belle, que tu me fuis,
Et que tu me parais, ornement de mes nuits[3],
5 Plus ironiquement accumuler les lieues[4]
Qui séparent mes bras des immensités bleues.

Je m'avance à l'attaque, et je grimpe aux assauts,
Comme après un cadavre un chœur de vermisseaux,
Et je chéris, ô bête implacable et cruelle!
10 Jusqu'à cette froideur par où tu m'es plus belle!

---

1. *Hume* : avale en aspirant.
2. *Taciturne* : qui est de nature silencieuse, voire morose, sombre.
3. Selon une analogie traditionnelle de la poésie, la femme est ici comparée à la lune, froide et inaccessible.
4. *Lieue* : ancienne unité de distance valant environ quatre kilomètres.

XXV

Tu mettrais l'univers entier dans ta ruelle[1],
Femme impure ! L'ennui rend ton âme cruelle.
Pour exercer tes dents à ce jeu singulier,
Il te faut chaque jour un cœur au râtelier[2].
5 Tes yeux, illuminés ainsi que des boutiques
Et des ifs[3] flamboyants dans les fêtes publiques,
Usent insolemment d'un pouvoir emprunté,
Sans connaître jamais la loi de leur beauté.

Machine[4] aveugle et sourde, en cruautés féconde !
10 Salutaire instrument, buveur du sang du monde,
Comment n'as-tu pas honte et comment n'as-tu pas
Devant tous les miroirs vu pâlir tes appas[5] ?
La grandeur de ce mal où tu te crois savante,
Ne t'a donc jamais fait reculer d'épouvante,
15 Quand la nature, grande en ses desseins[6] cachés,
De toi se sert, ô femme, ô reine des péchés,
– De toi, vil animal, – pour pétrir un génie ?

Ô fangeuse[7] grandeur ! sublime ignominie[8] !

---

1. Ruelle : espace entre le lit et le mur ; par métonymie, chambre, alcôve.
2. Râtelier : support mural destiné à recevoir la ration de fourrage des animaux dans une écurie ou une étable, ou, familièrement, dentier.
3. Ifs : ici, supports en bois ou en métal, de forme triangulaire, montés sur un pied, sur lesquels on dispose des lampions pour les illuminations.
4. Machine : corps sans âme.
5. Appas : attraits, charmes qui excitent le désir et suscitent la convoitise (orthographe moderne : appâts).
6. Desseins : projets, intentions.
7. Fangeuse : au sens propre, boueuse ; au sens figuré, abjecte, souillée.
8. Ignominie : déshonneur, infamie.

XXVI. – *Sed non satiata*[1]

Bizarre déité[2], brune comme les nuits,
Au parfum mélangé de musc[3] et de havane[4],
Œuvre de quelque obi[5], le Faust[6] de la savane,
4 Sorcière au flanc d'ébène[7], enfant des noirs minuits,

Je préfère au constance[8], à l'opium, au nuits[9],
L'élixir[10] de ta bouche où l'amour se pavane[11] ;
Quand vers toi mes désirs partent en caravane,
8 Tes yeux sont la citerne où boivent mes ennuis.

Par ces deux grands yeux noirs, soupiraux[12] de ton âme,
Ô démon sans pitié ! verse-moi moins de flamme ;
11 Je ne suis pas le Styx[13] pour t'embrasser neuf fois,

---

1. *Sed non satiata* : «mais non rassasiée». Allusion à un vers du poète latin Juvénal (fin du Iᵉʳ siècle-début du IIᵉ), extrait d'une satire sur les femmes, qui fait référence à Messaline, impératrice romaine, épouse de Claude, connue pour ses appétits de débauche. Le passage en question évoque les turpitudes de l'impératrice dans les maisons closes, dont elle ne sort qu'à regret.
2. *Déité* : divinité, déesse.
3. *Musc* : parfum très pénétrant obtenu à partir d'une substance brune ayant la consistance du miel et extraite des glandes abdominales de cervidés d'Asie.
4. *Havane* : tabac.
5. *Obi* : sorcier d'Afrique noire.
6. *Faust* : personnage d'une légende allemande, qui exerce le métier d'alchimiste et qui vend son âme au diable en échange de pouvoirs magiques et de biens terrestres. Goethe, poète et écrivain allemand du XIXᵉ siècle, s'inspira de cette légende pour composer sa pièce homonyme.
7. *Ébène* : bois précieux de couleur noire.
8. *Constance* : vin du Cap (en Afrique du Sud).
9. *Nuits* : côtes-de-nuits, nom d'un vin de Bourgogne, du pays de Nuits-Saint-Georges.
10. *Élixir* : breuvage possédant des vertus magiques de guérison.
11. *Se pavane* : se met en valeur, parade, avec vanité et ostentation.
12. *Soupiraux* : ouvertures pratiquées dans le soubassement d'un bâtiment pour éclairer et aérer les caves.
13. *Styx* : fleuve de la mythologie grecque qui sépare le monde des vivants des Enfers et qui en fait neuf fois le tour.

■ Dessin de Charles Baudelaire (1865) représentant Jeanne Duval, « Bizarre déité, brune comme les nuits,/Au parfum mélangé de musc et de havane » (« *Sed non satiata* »).

Hélas ! et je ne puis, Mégère[1] libertine[2],
Pour briser ton courage et te mettre aux abois,
14 Dans l'enfer de ton lit devenir Proserpine[3] !

XXVII

Avec ses vêtements ondoyants et nacrés,
Même quand elle marche on croirait qu'elle danse,
Comme ces longs serpents que les jongleurs sacrés
4 Au bout de leurs bâtons agitent en cadence.

Comme le sable morne et l'azur des déserts,
Insensibles tous deux à l'humaine souffrance,
Comme les longs réseaux de la houle des mers,
8 Elle se développe avec indifférence.

Ses yeux polis[4] sont faits de minéraux charmants,
Et dans cette nature étrange et symbolique
11 Où l'ange inviolé se mêle au sphinx[5] antique,

---

1. *Mégère* : une des trois déesses de la vengeance, appelées Érinyes dans la mythologie grecque, et Furies dans la mythologie latine, chargées de harceler et de châtier les coupables. Personnification du remords.
2. *Libertine* : ici, au sens courant, qui s'adonne sans retenue aux plaisirs sensuels.
3. *Proserpine* : épouse de Pluton, roi des Enfers, et mère des Furies.
4. *Polis* : dont la surface est lisse, unie et brillante.
5. *Sphinx* : monstre fabuleux de la mythologie grecque, qui possède une tête et un buste de femme, un corps de lion et des ailes d'oiseau. Il terrorisait Thèbes, en proposant des énigmes aux passants et en dévorant ceux qui ne parvenaient pas à les résoudre.

Où tout n'est qu'or, acier, lumière et diamants,
Resplendit à jamais, comme un astre inutile,
14　La froide majesté de la femme stérile.

XXVIII. – Le serpent qui danse

Que j'aime voir, chère indolente[1],
　　De ton corps si beau,
Comme une étoffe vacillante,
4　　　Miroiter la peau !

Sur ta chevelure profonde
　　Aux âcres[2] parfums,
Mer odorante et vagabonde
8　　　Aux flots bleus et bruns,

Comme un navire qui s'éveille
　　Au vent du matin,
Mon âme rêveuse appareille[3]
12　　　Pour un ciel lointain.

Tes yeux, où rien ne se révèle
　　De doux ni d'amer,
Sont deux bijoux froids où se mêle
16　　　L'or avec le fer.

---

1. Indolente : proche du sens étymologique (du latin *indolens*, «qui ne souffre pas, qui n'est pas sensible à la douleur»), indifférente, insensible.
2. Âcres : irritants, agressifs.
3. Appareille : quitte le port, part.

À te voir marcher en cadence,
        Belle d'abandon,
On dirait un serpent qui danse
        Au bout d'un bâton.

Sous le fardeau de ta paresse
        Ta tête d'enfant
Se balance avec la mollesse
        D'un jeune éléphant,

Et ton corps se penche et s'allonge
        Comme un fin vaisseau
Qui roule bord sur bord et plonge
        Ses vergues[1] dans l'eau.

Comme un flot grossi par la fonte
        Des glaciers grondants,
Quand l'eau de ta bouche remonte
        Au bord de tes dents,

Je crois boire un vin de Bohême,
        Amer et vainqueur,
Un ciel liquide qui parsème
        D'étoiles mon cœur !

---

1. *Vergues* : supports de bois fixés au mât pour soutenir et orienter la voile.

XXIX. – Une charogne[1]

Rappelez-vous l'objet que nous vîmes, mon âme,
     Ce beau matin d'été si doux :
Au détour d'un sentier une charogne infâme
4   Sur un lit semé de cailloux,

Les jambes en l'air, comme une femme lubrique[2],
     Brûlante et suant les poisons,
Ouvrait d'une façon nonchalante et cynique[3]
8   Son ventre plein d'exhalaisons[4].

Le soleil rayonnait sur cette pourriture,
     Comme afin de la cuire à point,
Et de rendre au centuple à la grande Nature
12   Tout ce qu'ensemble elle avait joint ;

Et le ciel regardait la carcasse superbe
     Comme une fleur s'épanouir.
La puanteur était si forte, que sur l'herbe
16   Vous crûtes vous évanouir.

Les mouches bourdonnaient sur ce ventre putride[5],
     D'où sortaient de noirs bataillons
De larves, qui coulaient comme un épais liquide
20   Le long de ces vivants haillons[6].

---

1. *Charogne* : cadavre en décomposition.
2. *Lubrique* : animée d'un appétit de débauche sexuelle.
3. *Cynique* : qui méprise les conventions et la bienséance, provocante.
4. *Exhalaisons* : gaz, odeurs qui se dégagent d'un corps.
5. *Putride* : en décomposition, en train de pourrir.
6. *Haillons* : débris et restes misérables du corps.

Tout cela descendait, montait comme une vague,
    Ou s'élançait en pétillant ;
On eût dit que le corps, enflé d'un souffle vague,
24   Vivait en se multipliant.

Et ce monde rendait une étrange musique,
    Comme l'eau courante et le vent,
Ou le grain qu'un vanneur[1] d'un mouvement rythmique
28   Agite et tourne dans son van[2].

Les formes s'effaçaient et n'étaient plus qu'un rêve,
    Une ébauche lente à venir,
Sur la toile oubliée, et que l'artiste achève
32   Seulement par le souvenir.

Derrière les rochers une chienne inquiète
    Nous regardait d'un œil fâché,
Épiant le moment de reprendre au squelette
36   Le morceau qu'elle avait lâché.

– Et pourtant vous serez semblable à cette ordure,
    À cette horrible infection,
Étoile de mes yeux, soleil de ma nature,
40   Vous, mon ange et ma passion !

Oui ! telle vous serez, ô la reine des grâces,
    Après les derniers sacrements,
Quand vous irez, sous l'herbe et les floraisons grasses,
44   Moisir parmi les ossements.

---

1. Vanneur : personne qui débarrasse le grain de ses impuretés en le secouant dans un van.
2. Van : panier plat en osier servant à trier le grain.

Alors, ô ma beauté ! dites à la vermine[1]
    Qui vous mangera de baisers,
Que j'ai gardé la forme et l'essence divine
48   De mes amours décomposés !

XXX. – *De profundis clamavi*[2]

J'implore ta pitié, Toi, l'unique que j'aime,
Du fond du gouffre obscur où mon cœur est tombé.
C'est un univers morne à l'horizon plombé,
4 Où nagent dans la nuit l'horreur et le blasphème[3];

Un soleil sans chaleur plane au-dessus six mois,
Et les six autres mois la nuit couvre la terre ;
C'est un pays plus nu que la terre polaire ;
8 – Ni bêtes, ni ruisseaux, ni verdure, ni bois !

Or il n'est pas d'horreur au monde qui surpasse
La froide cruauté de ce soleil de glace
11 Et cette immense nuit semblable au vieux Chaos[4];

Je jalouse le sort des plus vils animaux
Qui peuvent se plonger dans un sommeil stupide[5].
14 Tant l'écheveau[6] du temps lentement se dévide !

---

1. *Vermine* : ensemble des insectes parasites de l'homme et des animaux.
2. *De profundis clamavi* : titre latin emprunté aux premiers mots d'un psaume catholique chanté pour les défunts, qui signifient «du fond de l'abîme, j'ai crié».
3. *Blasphème* : parole outrageant la religion et la divinité.
4. *Chaos* : désordre, confusion. Nom donné, dans la cosmogonie grecque comme dans la tradition judéo-chrétienne, à l'état d'indifférenciation de la matière et des éléments qui précède l'organisation du monde.
5. *Stupide* : frappé de stupeur, hébété.
6. *Écheveau* : assemblage qui permet de dérouler ou dévider des fils sans les emmêler.

XXXI. – Le Vampire

Toi qui, comme un coup de couteau,
Dans mon cœur plaintif es entrée;
Toi qui, forte comme un troupeau
De démons, vins, folle et parée,

De mon esprit humilié
Faire ton lit et ton domaine;
– Infâme à qui je suis lié
Comme le forçat[1] à la chaîne,

Comme au jeu le joueur têtu,
Comme à la bouteille l'ivrogne,
Comme aux vermines[2] la charogne,
– Maudite, maudite sois-tu!

J'ai prié le glaive rapide
De conquérir ma liberté,
Et j'ai dit au poison perfide
De secourir ma lâcheté.

Hélas! le poison et le glaive
M'ont pris en dédain et m'ont dit:
«Tu n'es pas digne qu'on t'enlève
À ton esclavage maudit,

Imbécile! – de son empire
Si nos efforts te délivraient,
Tes baisers ressusciteraient
Le cadavre de ton vampire!»

---

1. *Forçat* : criminel condamné aux travaux forcés.
2. *Vermines* : insectes parasites de l'homme et des animaux.

XXXII

Une nuit que j'étais près d'une affreuse Juive[1],
Comme au long d'un cadavre un cadavre étendu,
Je me pris à songer près de ce corps vendu
4 À la triste beauté dont mon désir se prive.

Je me représentai sa majesté native[2],
Son regard de vigueur et de grâces armé,
Ses cheveux qui lui font un casque parfumé,
8 Et dont le souvenir pour l'amour me ravive.

Car j'eusse avec ferveur baisé ton noble corps,
Et depuis tes pieds frais jusqu'à tes noires tresses
11 Déroulé le trésor des profondes caresses,

Si, quelque soir, d'un pleur obtenu sans effort
Tu pouvais seulement, ô reine des cruelles !
14 Obscurcir la splendeur de tes froides prunelles.

---

1. *Une affreuse Juive* : allusion probable à Sarah «la louchette», prostituée
atteinte de strabisme, dont Baudelaire fut le client dans sa jeunesse et par qui
il aurait contracté la syphilis.
2. *Native* : originelle, première.

XXXIII. – Remords posthume[1]

Lorsque tu dormiras, ma belle ténébreuse,
Au fond d'un monument construit en marbre noir,
Et lorsque tu n'auras pour alcôve[2] et manoir
4 Qu'un caveau pluvieux et qu'une fosse creuse ;

Quand la pierre, opprimant ta poitrine peureuse
Et tes flancs qu'assouplit un charmant nonchaloir[3],
Empêchera ton cœur de battre et de vouloir,
8 Et tes pieds de courir leur course aventureuse,

Le tombeau, confident de mon rêve infini
(Car le tombeau toujours comprendra le poète),
11 Durant ces grandes nuits d'où le somme est banni,

Te dira : « Que vous sert, courtisane imparfaite,
De n'avoir pas connu ce que pleurent les morts ? »
14 – Et le ver rongera ta peau comme un remords.

XXXIV. – Le Chat

Viens, mon beau chat, sur mon cœur amoureux ;
    Retiens les griffes de ta patte,
Et laisse-moi plonger dans tes beaux yeux,
4   Mêlés de métal et d'agate[4].

---

1. **Posthume** : après le décès.
2. **Alcôve** : lieu secret des amours, chambre.
3. **Nonchaloir** : nonchalance, abandon.
4. **Agate** : pierre précieuse, semi-transparente, aux teintes nuancées et contrastées.

Lorsque mes doigts caressent à loisir
    Ta tête et ton dos élastique,
Et que ma main s'enivre du plaisir
    De palper ton corps électrique,

Je vois ma femme en esprit. Son regard,
    Comme le tien, aimable bête,
Profond et froid, coupe et fend comme un dard,

    Et, des pieds jusques à la tête,
Un air subtil, un dangereux parfum
    Nagent autour de son corps brun.

8
11
14

XXXV. – *Duellum*[1]

Deux guerriers ont couru l'un sur l'autre ; leurs armes
Ont éclaboussé l'air de lueurs et de sang.
Ces jeux, ces cliquetis du fer sont les vacarmes
4 D'une jeunesse en proie à l'amour vagissant[2].

Les glaives sont brisés ! comme notre jeunesse,
Ma chère ! Mais les dents, les ongles acérés,
Vengent bientôt l'épée et la dague[3] traîtresse.
8 Ô fureur des cœurs mûrs par l'amour ulcérés[4] !

---

1. *Duellum* : combat, guerre, en latin.
2. *Vagissant* : qui pousse des cris de nouveau-né.
3. *Dague* : poignard ou épée courte.
4. *Ulcérés* : en proie à une vive souffrance morale, en particulier à un ressen-timent durable et violent.

Dans le ravin hanté des chats-pards[1] et des onces[2]
Nos héros, s'étreignant méchamment, ont roulé,
11 Et leur peau fleurira l'aridité des ronces.

– Ce gouffre, c'est l'enfer, de nos amis peuplé!
Roulons-y sans remords, amazone[3] inhumaine,
14 Afin d'éterniser l'ardeur de notre haine!

XXXVI. – Le Balcon

Mère des souvenirs, maîtresse des maîtresses,
Ô toi, tous mes plaisirs! ô toi, tous mes devoirs!
Tu te rappelleras la beauté des caresses,
La douceur du foyer et le charme des soirs,
5 Mère des souvenirs, maîtresse des maîtresses!

Les soirs illuminés par l'ardeur du charbon,
Et les soirs au balcon, voilés de vapeurs roses.
Que ton sein m'était doux! que ton cœur m'était bon!
Nous avons dit souvent d'impérissables choses
10 Les soirs illuminés par l'ardeur du charbon.

Que les soleils sont beaux dans les chaudes soirées!
Que l'espace est profond! que le cœur est puissant!
En me penchant vers toi, reine des adorées,
Je croyais respirer le parfum de ton sang.
15 Que les soleils sont beaux dans les chaudes soirées!

---

1. Chats-pards : félins à pelage fauve taché de noir, synonyme de «lynx du Portugal».
2. Onces : félins d'Asie centrale dont la robe grise tachetée de noir ressemble à celle de la panthère, synonyme de «panthères des neiges».
3. Amazone : femme guerrière de la mythologie grecque.

La nuit s'épaississait ainsi qu'une cloison,
Et mes yeux dans le noir devinaient tes prunelles,
Et je buvais ton souffle, ô douceur! ô poison!
Et tes pieds s'endormaient dans mes mains fraternelles.
20 La nuit s'épaississait ainsi qu'une cloison.

Je sais l'art d'évoquer les minutes heureuses,
Et revis mon passé blotti dans tes genoux.
Car à quoi bon chercher tes beautés langoureuses
Ailleurs qu'en ton cher corps et qu'en ton cœur si doux?
25 Je sais l'art d'évoquer les minutes heureuses!

Ces serments, ces parfums, ces baisers infinis,
Renaîtront-ils d'un gouffre interdit à nos sondes,
Comme montent au ciel les soleils rajeunis
Après s'être lavés au fond des mers profondes?
30 – Ô serments! ô parfums! ô baisers infinis!

XXXVII. – Le Possédé

Le soleil s'est couvert d'un crêpe[1]. Comme lui,
Ô Lune de ma vie! emmitoufle-toi d'ombre;
Dors ou fume à ton gré; sois muette, sois sombre,
4 Et plonge tout entière au gouffre de l'Ennui;

Je t'aime ainsi! Pourtant, si tu veux aujourd'hui,
Comme un astre éclipsé qui sort de la pénombre,

---

1. *Crêpe* : voile de tissu léger et ondulé, de couleur noire, symbolisant le deuil.

Te pavaner[1] aux lieux que la Folie encombre,
8   C'est bien ! Charmant poignard, jaillis de ton étui !

Allume ta prunelle à la flamme des lustres !
Allume le désir dans les regards des rustres !
11   Tout de toi m'est plaisir, morbide ou pétulant ;

Sois ce que tu voudras, nuit noire, rouge aurore ;
Il n'est pas une fibre en tout mon corps tremblant
14   Qui ne crie : *Ô mon cher Belzébuth[2], je t'adore !*

XXXVIII. – Un fantôme

I
Les ténèbres

Dans les caveaux d'insondable tristesse
Où le Destin m'a déjà relégué ;
Où jamais n'entre un rayon rose et gai ;
4   Où, seul avec la Nuit, maussade hôtesse,

Je suis comme un peintre qu'un Dieu moqueur
Condamne à peindre, hélas ! sur les ténèbres ;
Où, cuisinier aux appétits funèbres,
8   Je fais bouillir et je mange mon cœur,

Par instants brille, et s'allonge, et s'étale
Un spectre fait de grâce et de splendeur.
11   À sa rêveuse allure orientale,

---

1. *Te pavaner* : te mettre en valeur avec vanité et ostentation.
2. *Belzébuth* : Satan.

Quand il atteint sa totale grandeur,
Je reconnais ma belle visiteuse :
14   C'est Elle ! noire et pourtant lumineuse.

II
Le parfum

Lecteur, as-tu quelquefois respiré
Avec ivresse et lente gourmandise
Ce grain d'encens qui remplit une église,
18   Ou d'un sachet le musc[1] invétéré[2] ?

Charme profond, magique, dont nous grise
Dans le présent le passé restauré !
Ainsi l'amant sur un corps adoré
22   Du souvenir cueille la fleur exquise.

De ses cheveux élastiques et lourds,
Vivant sachet, encensoir[3] de l'alcôve[4],
25   Une senteur montait, sauvage et fauve,

Et des habits, mousseline[5] ou velours,
Tout imprégnés de sa jeunesse pure,
28   Se dégageait un parfum de fourrure.

---

1. Musc : parfum très pénétrant obtenu à partir d'une substance brune ayant la consistance du miel et extraite des glandes abdominales de cervidés d'Asie.
2. Invétéré : qui s'est fortifié avec le temps et dont on ne peut plus se défaire.
3. Encensoir : récipient dans lequel on fait brûler de l'encens.
4. Alcôve : lieu secret des amours.
5. Mousseline : toile de coton claire, fine et légère.

III
Le cadre

Comme un beau cadre ajoute à la peinture,
Bien qu'elle soit d'un pinceau très vanté,
Je ne sais quoi d'étrange et d'enchanté
32   En l'isolant de l'immense nature,

Ainsi bijoux, meubles, métaux, dorure,
S'adaptaient juste à sa rare beauté ;
Rien n'offusquait sa parfaite clarté,
36   Et tout semblait lui servir de bordure.

Même on eût dit parfois qu'elle croyait
Que tout voulait l'aimer ; elle noyait
39   Sa nudité voluptueusement

Dans les baisers du satin et du linge,
Et lente ou brusque, à chaque mouvement
42   Montrait la grâce enfantine du singe.

IV
Le portrait

La Maladie et la Mort font des cendres
De tout le feu qui pour nous flamboya.
De ces grands yeux si fervents et si tendres,
46   De cette bouche où mon cœur se noya,

De ces baisers puissants comme un dictame[1],
De ces transports plus vifs que des rayons,
Que reste-t-il? C'est affreux, ô mon âme!
50 Rien qu'un dessin fort pâle, aux trois crayons,

Qui, comme moi, meurt dans la solitude,
Et que le Temps, injurieux vieillard,
53 Chaque jour frotte avec son aile rude...

Noir assassin de la Vie et de l'Art,
Tu ne tueras jamais dans ma mémoire
56 Celle qui fut mon plaisir et ma gloire!

XXXIX

Je te donne ces vers afin que si mon nom
Aborde heureusement aux époques lointaines,
Et fait rêver un soir les cervelles humaines,
4 Vaisseau favorisé par un grand aquilon[2],

Ta mémoire, pareille aux fables incertaines,
Fatigue le lecteur ainsi qu'un tympanon[3],
Et par un fraternel et mystique chaînon
8 Reste comme pendue à mes rimes hautaines;

Être maudit à qui, de l'abîme[4] profond
Jusqu'au plus haut du ciel, rien, hors moi, ne répond!
11 – Ô toi qui, comme une ombre à la trace éphémère,

---

1. Dictame : au sens propre, plante aromatique aux vertus apaisantes ; au sens figuré, remède à la souffrance morale.
2. Aquilon : vent du nord violent et froid.
3. Tympanon : instrument à percussion.
4. Abîme : au sens propre, profondeur insondable de l'océan.

Foules d'un pied léger et d'un regard serein
Les stupides mortels qui t'ont jugée amère,
14 Statue aux yeux de jais[1], grand ange au front d'airain[2] !

XL. – *Semper eadem*[3]

« D'où vous vient, disiez-vous, cette tristesse étrange,
Montant comme la mer sur le roc noir et nu ? »
– Quand notre cœur a fait une fois sa vendange,
4 Vivre est un mal. C'est un secret de tous connu,

Une douleur très simple et non mystérieuse,
Et, comme votre joie, éclatante pour tous.
Cessez donc de chercher, ô belle curieuse !
8 Et, bien que votre voix soit douce, taisez-vous !

Taisez-vous, ignorante ! âme toujours ravie !
Bouche au rire enfantin ! Plus encor[4] que la Vie,
11 La Mort nous tient souvent par des liens subtils.

Laissez, laissez mon cœur s'enivrer d'un *mensonge*,
Plonger dans vos beaux yeux comme dans un beau songe,
14 Et sommeiller longtemps à l'ombre de vos cils !

---

1. *Jais* : pierre noire et brillante.
2. *Airain* : terme ancien pour désigner le bronze.
3. *Semper eadem* : expression latine pouvant se traduire par « toujours la même chose », ou « toujours la même ».
4. Élision du *e* final pour des raisons de versification.

XLI. – Tout entière

Le Démon, dans ma chambre haute,
Ce matin est venu me voir,
Et, tâchant à me prendre en faute,
Me dit : «Je voudrais bien savoir,

Parmi toutes les belles choses
Dont est fait son enchantement,
Parmi les objets noirs ou roses
Qui composent son corps charmant,

Quel est le plus doux.» – Ô mon âme !
Tu répondis à l'Abhorré[1] :
«Puisqu'en Elle tout est dictame[2],
Rien ne peut être préféré.

Lorsque tout me ravit, j'ignore
Si quelque chose me séduit.
Elle éblouit comme l'Aurore
Et console comme la Nuit ;

Et l'harmonie est trop exquise,
Qui gouverne tout son beau corps,
Pour que l'impuissante analyse
En note les nombreux accords.

Ô métamorphose mystique
De tous mes sens fondus en un !
Son haleine fait la musique,
Comme sa voix fait le parfum ! »

---

1. *Abhorré* : tenu en horreur.
2. *Dictame* : au sens propre, plante aromatique aux vertus apaisantes ; au sens figuré, remède à la souffrance morale.

XLII

Que diras-tu ce soir, pauvre âme solitaire,
Que diras-tu, mon cœur, cœur autrefois flétri,
À la très belle, à la très bonne, à la très chère,
4 Dont le regard divin t'a soudain refleuri ?

– Nous mettrons notre orgueil à chanter ses louanges :
Rien ne vaut la douceur de son autorité ;
Sa chair spirituelle a le parfum des Anges,
8 Et son œil nous revêt d'un habit de clarté.

Que ce soit dans la nuit et dans la solitude,
Que ce soit dans la rue et dans la multitude,
11 Son fantôme dans l'air danse comme un flambeau.

Parfois il parle et dit : « Je suis belle, et j'ordonne
Que pour l'amour de moi vous n'aimiez que le Beau ;
14 Je suis l'Ange gardien, la Muse[1] et la Madone. »

XLIII. – Le Flambeau vivant

Ils marchent devant moi, ces Yeux pleins de lumières,
Qu'un Ange très savant a sans doute aimantés ;
Ils marchent, ces divins frères qui sont mes frères,
4 Secouant dans mes yeux leurs feux diamantés.

---

1. *Muse* : dans la mythologie grecque, divinité figurant les arts, et notamment
l'inspiration poétique.

Me sauvant de tout piège et de tout péché grave,
Ils conduisent mes pas dans la route du Beau ;
Ils sont mes serviteurs et je suis leur esclave ;
8 Tout mon être obéit à ce vivant flambeau.

Charmants Yeux, vous brillez de la clarté mystique
Qu'ont les cierges brûlant en plein jour ; le soleil
11 Rougit, mais n'éteint pas leur flamme fantastique ;

Ils célèbrent la Mort, vous chantez le Réveil ;
Vous marchez en chantant le réveil de mon âme,
14 Astres dont nul soleil ne peut flétrir la flamme !

XLIV. – Réversibilité[1]

Ange plein de gaieté, connaissez-vous l'angoisse,
La honte, les remords, les sanglots, les ennuis,
Et les vagues terreurs de ces affreuses nuits
Qui compriment le cœur comme un papier qu'on froisse ?
5 Ange plein de gaieté, connaissez-vous l'angoisse ?

Ange plein de bonté, connaissez-vous la haine,
Les poings crispés dans l'ombre et les larmes de fiel[2],
Quand la Vengeance bat son infernal rappel,
Et de nos facultés se fait le capitaine ?
10 Ange plein de bonté, connaissez-vous la haine ?

---

1. *Réversibilité* : dans la théologie catholique, principe selon lequel les souf-
frances et les mérites de l'innocent profitent au coupable. Le bien accompli
par une personne, ici Mme Sabatier, peut être reversé au crédit d'un pécheur,
notamment par la prière et la grâce.
2. *Fiel* : bile, amertume, méchanceté.

■ Mme Sabatier en bacchante (1847). Buste en marbre de Jean-Baptiste Clésinger (1814-1883). Paris, musée d'Orsay.

Photo RMN/DR

Ange plein de santé, connaissez-vous les Fièvres[1],
Qui, le long des grands murs de l'hospice blafard,
Comme des exilés, s'en vont d'un pied traînard,
Cherchant le soleil rare et remuant les lèvres ?
15   Ange plein de santé, connaissez-vous les Fièvres ?

Ange plein de beauté, connaissez-vous les rides,
Et la peur de vieillir, et ce hideux tourment
De lire la secrète horreur du dévouement
Dans des yeux où longtemps burent nos yeux avides ?
20   Ange plein de beauté, connaissez-vous les rides ?

Ange plein de bonheur, de joie et de lumières,
David mourant aurait demandé la santé
Aux émanations de ton corps enchanté[2] ;
Mais de toi je n'implore, ange, que tes prières,
25   Ange plein de bonheur, de joie et de lumières !

XLV. – Confession

Une fois, une seule, aimable et douce femme,
          À mon bras votre bras poli
S'appuya (sur le fond ténébreux de mon âme
4   Ce souvenir n'est point pâli) ;

Il était tard ; ainsi qu'une médaille neuve
          La pleine lune s'étalait,
Et la solennité de la nuit, comme un fleuve,
8   Sur Paris dormant ruisselait.

---

1. *Fièvres* : la métonymie désigne ici les malades atteints de la fièvre.
2. Allusion à un épisode biblique dans lequel on fait coucher une jeune vierge
aux côtés du roi David, mourant, pour le ranimer.

Et le long des maisons, sous les portes cochères,
        Des chats passaient furtivement,
L'oreille au guet, ou bien, comme des ombres chères,
        Nous accompagnaient lentement.

Tout à coup, au milieu de l'intimité libre
        Éclose à la pâle clarté,
De vous, riche et sonore instrument où ne vibre
        Que la radieuse gaieté,

De vous, claire et joyeuse ainsi qu'une fanfare
        Dans le matin étincelant,
Une note plaintive, une note bizarre
        S'échappa, tout en chancelant

Comme une enfant chétive, horrible, sombre, immonde,
        Dont sa famille rougirait,
Et qu'elle aurait longtemps, pour la cacher au monde,
        Dans un caveau mise au secret.

Pauvre ange, elle chantait, votre note criarde[1] :
        «Que rien ici-bas n'est certain,
Et que toujours, avec quelque soin qu'il se farde[2],
        Se trahit l'égoïsme humain;

Que c'est un dur métier que d'être belle femme,
        Et que c'est le travail banal
De la danseuse folle et froide qui se pâme[3]
        Dans un sourire machinal;

---

1. Criarde : discordante.
2. Se farde : se maquille, se dissimule.
3. Se pâme : qui manifeste un sentiment exalté.

Que bâtir sur les cœurs est une chose sotte ;
        Que tout craque, amour et beauté,
Jusqu'à ce que l'Oubli les jette dans sa hotte
36   Pour les rendre à l'Éternité ! »

J'ai souvent évoqué cette lune enchantée,
        Ce silence et cette langueur[1],
Et cette confidence horrible chuchotée
40   Au confessionnal[2] du cœur.

XLVI. – L'Aube spirituelle

Quand chez les débauchés l'aube blanche et vermeille[3]
Entre en société[4] de l'Idéal rongeur,
Par l'opération d'un mystère vengeur
4 Dans la brute assoupie un ange se réveille.

Des Cieux Spirituels l'inaccessible azur,
Pour l'homme terrassé qui rêve encore et souffre,
S'ouvre et s'enfonce avec l'attirance du gouffre.
8 Ainsi, chère Déesse[5], Être lucide[6] et pur,

---

1. *Langueur* : affaiblissement physique ou moral, manque d'énergie, non-chalance.
2. *Confessionnal* : isoloir où le prêtre entend la confession du pénitent.
3. *Vermeille* : d'un rouge doré.
4. *En société* : en compagnie.
5. Ici, le poète s'adresse à l'aube.
6. *Lucide* : ici, au sens étymologique, qui émet de la lumière.

Sur les débris fumeux des stupides[1] orgies
Ton souvenir plus clair, plus rose, plus charmant,
11   À mes yeux agrandis voltige incessamment.

Le soleil a noirci la flamme des bougies ;
Ainsi, toujours vainqueur, ton fantôme est pareil,
14   Âme resplendissante, à l'immortel soleil !

XLVII. – Harmonie du soir

Voici venir les temps où vibrant sur sa tige
Chaque fleur s'évapore ainsi qu'un encensoir[2] ;
Les sons et les parfums tournent dans l'air du soir ;
4   Valse mélancolique et langoureux vertige !

Chaque fleur s'évapore ainsi qu'un encensoir ;
Le violon frémit comme un cœur qu'on afflige ;
Valse mélancolique et langoureux vertige !
8   Le ciel est triste et beau comme un grand reposoir[3].

Le violon frémit comme un cœur qu'on afflige,
Un cœur tendre, qui hait le néant vaste et noir !
Le ciel est triste et beau comme un grand reposoir ;
12   Le soleil s'est noyé dans son sang qui se fige.

---

1. Stupides : abrutissantes, hébétées.
2. Encensoir : récipient dans lequel on fait brûler de l'encens.
3. Reposoir : autel sur lequel est exposé le Saint-Sacrement, dans une
église.

Un cœur tendre, qui hait le néant vaste et noir,
Du passé lumineux recueille tout vestige !
Le soleil s'est noyé dans son sang qui se fige...
16 Ton souvenir en moi luit comme un ostensoir[1] !

XLVIII. – Le Flacon

Il est de forts parfums pour qui toute matière
Est poreuse. On dirait qu'ils pénètrent le verre.
En ouvrant un coffret venu de l'Orient
4 Dont la serrure grince et rechigne[2] en criant,

Ou dans une maison déserte quelque armoire
Pleine de l'âcre[3] odeur des temps, poudreuse et noire,
Parfois on trouve un vieux flacon qui se souvient,
8 D'où jaillit toute vive une âme qui revient.

Mille pensers[4] dormaient, chrysalides[5] funèbres,
Frémissant doucement dans les lourdes ténèbres,
Qui dégagent leur aile et prennent leur essor,
12 Teintés d'azur, glacés de rose, lamés d'or[6].

---

1. *Ostensoir* : pièce d'orfèvrerie en forme de soleil contenant l'hostie consacrée.
2. *Rechigne* : manifeste sa répugnance à faire quelque chose.
3. *Âcre* : irritante, agressive.
4. *Pensers* : archaïsme pour «pensées».
5. *Chrysalides* : enveloppes de la chenille avant qu'elle se métamorphose en papillon.
6. *Lamés d'or* : incrustés de fines lamelles d'or.

Voilà le souvenir enivrant qui voltige
Dans l'air troublé; les yeux se ferment; le Vertige
Saisit l'âme vaincue et la pousse à deux mains
16 Vers un gouffre obscurci de miasmes[1] humains;

Il la terrasse au bord d'un gouffre séculaire[2],
Où, Lazare[3] odorant déchirant son suaire[4],
Se meut dans son réveil le cadavre spectral[5]
20 D'un vieil amour ranci[6], charmant et sépulcral[7].

Ainsi, quand je serai perdu dans la mémoire
Des hommes, dans le coin d'une sinistre armoire
Quand on m'aura jeté, vieux flacon désolé,
24 Décrépit, poudreux, sale, abject, visqueux, fêlé,

Je serai ton cercueil, aimable pestilence[8]!
Le témoin de ta force et de ta virulence,
Cher poison préparé par les anges! Liqueur
28 Qui me ronge, ô la vie et la mort de mon cœur!

---

1. *Miasmes* : émanations de matières organiques en décomposition qui dégagent une odeur fétide.
2. *Séculaire* : qui existe depuis plusieurs centaines d'années, ancestral.
3. *Lazare* : personnage biblique qui, après quatre jours au tombeau, fut ressuscité par le Christ.
4. *Suaire* : linceul, pièce d'étoffe blanche dans laquelle on ensevelit un mort.
5. *Spectral* : qui a l'apparence d'un spectre, fantomatique.
6. *Ranci* : dont la saveur s'est altérée, est devenue âcre.
7. *Sépulcral* : qui évoque le tombeau, la mort.
8. *Pestilence* : odeur infecte, putride.

XLIX. – Le Poison

Le vin sait revêtir le plus sordide bouge[1]
    D'un luxe miraculeux,
Et fait surgir plus d'un portique[2] fabuleux
    Dans l'or de sa vapeur rouge,
5 Comme un soleil couchant dans un ciel nébuleux.

L'opium agrandit ce qui n'a pas de bornes,
    Allonge l'illimité,
Approfondit le temps, creuse la volupté[3],
    Et de plaisirs noirs et mornes
10 Remplit l'âme au-delà de sa capacité.

Tout cela ne vaut pas le poison qui découle
    De tes yeux, de tes yeux verts,
Lacs où mon âme tremble et se voit à l'envers…
    Mes songes viennent en foule
15 Pour se désaltérer à ces gouffres amers.

Tout cela ne vaut pas le terrible prodige
    De ta salive qui mord,
Qui plonge dans l'oubli mon âme sans remord[4],
    Et, charriant[5] le vertige,
20 La roule défaillante aux rives de la mort !

---

1. *Bouge* : cabaret malfamé.
2. *Portique* : galerie couverte dont la voûte est soutenue par des colonnes, très fréquente dans les monuments antiques ouverts vers l'extérieur.
3. *Volupté* : plaisir intense.
4. *Remord* : licence poétique pour «remords».
5. *Charriant* : entraînant.

L. – Ciel brouillé

On dirait ton regard d'une vapeur couvert ;
Ton œil mystérieux (est-il bleu, gris ou vert ?)
Alternativement tendre, rêveur, cruel,
4 Réfléchit l'indolence[1] et la pâleur du ciel.

Tu rappelles ces jours blancs, tièdes et voilés,
Qui font se fondre en pleurs les cœurs ensorcelés,
Quand, agités d'un mal inconnu qui les tord,
8 Les nerfs trop éveillés raillent l'esprit qui dort.

Tu ressembles parfois à ces beaux horizons
Qu'allument les soleils des brumeuses saisons…
Comme tu resplendis, paysage mouillé
12 Qu'enflamment les rayons tombant d'un ciel brouillé !

Ô femme dangereuse, ô séduisants[2] climats !
Adorerai-je aussi ta neige et vos frimas[3],
Et saurai-je tirer de l'implacable hiver
16 Des plaisirs plus aigus que la glace et le fer ?

---

1. Indolence : ici, proche du sens étymologique, insensibilité, impassibilité.
2. Séduisants : au sens étymologique, trompeurs, qui égarent.
3. Frimas : brouillards froids et épais qui forment du givre.

LI. – Le Chat

I

Dans ma cervelle se promène,
Ainsi qu'en son appartement,
Un beau chat, fort, doux et charmant.
Quand il miaule, on l'entend à peine,

Tant son timbre est tendre et discret;
Mais que sa voix s'apaise ou gronde,
Elle est toujours riche et profonde.
C'est là son charme et son secret.

Cette voix, qui perle[1] et qui filtre
Dans mon fonds le plus ténébreux,
Me remplit comme un vers nombreux[2]
Et me réjouit comme un philtre[3].

Elle endort les plus cruels maux
Et contient toutes les extases;
Pour dire les plus longues phrases,
Elle n'a pas besoin de mots.

Non, il n'est pas d'archet qui morde
Sur mon cœur, parfait instrument,
Et fasse plus royalement
Chanter sa plus vibrante corde,

---

1. *Perle* : qui détache chaque note.
2. *Nombreux* : terme littéraire signifiant harmonieux, rythmé, cadencé.
3. *Philtre* : breuvage magique qui inspire l'amour.

Que ta voix, chat mystérieux,
Chat séraphique[1], chat étrange,
En qui tout est, comme en un ange,
Aussi subtil qu'harmonieux !

24

II

De sa fourrure blonde et brune
Sort un parfum si doux, qu'un soir
J'en fus embaumé, pour l'avoir
Caressée une fois, rien qu'une.

28

C'est l'esprit familier du lieu ;
Il juge, il préside, il inspire
Toutes choses dans son empire ;
Peut-être est-il fée, est-il dieu ?

32

Quand mes yeux, vers ce chat que j'aime
Tirés comme par un aimant,
Se retournent docilement
Et que je regarde en moi-même,

36

Je vois avec étonnement
Le feu de ses prunelles pâles,
Clairs fanaux[2], vivantes opales[3],
Qui me contemplent fixement.

40

---

1. *Séraphique* : angélique.
2. *Fanaux* : feux ou lanternes placés en hauteur pour servir de repères, de signaux.
3. *Opales* : pierres précieuses aux reflets irisés et changeants.

LII. – Le Beau Navire

Je veux te raconter, ô molle enchanteresse !
Les diverses beautés qui parent ta jeunesse ;
    Je veux te peindre ta beauté,
4 Où l'enfance s'allie à la maturité.

Quand tu vas balayant l'air de ta jupe large,
Tu fais l'effet d'un beau vaisseau qui prend le large,
    Chargé de toile, et va roulant
8 Suivant un rythme doux, et paresseux, et lent.

Sur ton cou large et rond, sur tes épaules grasses,
Ta tête se pavane[1] avec d'étranges grâces ;
    D'un air placide et triomphant
12 Tu passes ton chemin, majestueuse enfant.

Je veux te raconter, ô molle enchanteresse !
Les diverses beautés qui parent ta jeunesse ;
    Je veux te peindre ta beauté,
16 Où l'enfance s'allie à la maturité.

Ta gorge[2] qui s'avance et qui pousse la moire[3],
Ta gorge triomphante est une belle armoire
    Dont les panneaux bombés et clairs
20 Comme les boucliers accrochent des éclairs ;

Boucliers provocants, armés de pointes roses !
Armoire à doux secrets, pleine de bonnes choses,
    De vins, de parfums, de liqueurs
24 Qui feraient délirer les cerveaux et les cœurs !

---

1. *Se pavane* : se met en valeur, parade avec vanité et ostentation.
2. *Gorge* : poitrine.
3. *Moire* : étoffe aux reflets changeants.

Quand tu vas balayant l'air de ta jupe large,
Tu fais l'effet d'un beau vaisseau qui prend le large,
    Chargé de toile, et va roulant
28 Suivant un rythme doux, et paresseux, et lent.

Tes nobles jambes, sous les volants qu'elles chassent,
Tourmentent les désirs obscurs et les agacent,
    Comme deux sorcières qui font
32 Tourner un philtre[1] noir dans un vase profond.

Tes bras, qui se joueraient des précoces hercules[2],
Sont des boas luisants les solides émules[3],
    Faits pour serrer obstinément,
36 Comme pour l'imprimer dans ton cœur, ton amant.

Sur ton cou large et rond, sur tes épaules grasses,
Ta tête se pavane avec d'étranges grâces ;
    D'un air placide et triomphant
40 Tu passes ton chemin, majestueuse enfant.

---

1. *Philtre* : breuvage magique qui inspire l'amour.
2. Allusion au héros mythologique qui, dans son berceau, étouffa à mains nues les serpents envoyés par Héra. Ici, le texte indique que les bras de l'amante, semblables à des boas, viendraient à bout d'un adversaire doué d'une force herculéenne.
3. *Émules* : concurrents, rivaux.

LIII. – L'Invitation au voyage

        Mon enfant, ma sœur,
        Songe à la douceur
D'aller là-bas vivre ensemble !
        Aimer à loisir,
        Aimer et mourir
Au pays qui te ressemble !
        Les soleils mouillés
        De ces ciels brouillés
Pour mon esprit ont les charmes
        Si mystérieux
        De tes traîtres yeux,
Brillant à travers leurs larmes.

Là, tout n'est qu'ordre et beauté,
Luxe, calme et volupté[1].

        Des meubles luisants,
        Polis par les ans,
Décoreraient notre chambre ;
        Les plus rares fleurs
        Mêlant leurs odeurs
Aux vagues senteurs de l'ambre[2],
        Les riches plafonds,
        Les miroirs profonds,
La splendeur orientale,
        Tout y parlerait
        À l'âme en secret
Sa douce langue natale.

---

1. *Volupté* : plaisir intense.
2. *Ambre* : parfum précieux, extrait d'une substance organique, de couleur grise ou rousse, sécrétée par le système intestinal des cachalots.

Là, tout n'est qu'ordre et beauté,
Luxe, calme et volupté.

Vois sur ces canaux
Dormir ces vaisseaux
Dont l'humeur est vagabonde ;
C'est pour assouvir
Ton moindre désir
Qu'ils viennent du bout du monde.
– Les soleils couchants
Revêtent les champs,
Les canaux, la ville entière,
D'hyacinthe[1] et d'or ;
Le monde s'endort
Dans une chaude lumière.

Là, tout n'est qu'ordre et beauté,
Luxe, calme et volupté.

LIV. – L'Irréparable

Pouvons-nous étouffer le vieux, le long Remords,
Qui vit, s'agite et se tortille,
Et se nourrit de nous comme le ver des morts,
Comme du chêne la chenille ?
Pouvons-nous étouffer l'implacable Remords ?

---

1. *Hyacinthe* : pierre fine de couleur brun orangé ou rougeâtre.

Dans quel philtre[1], dans quel vin, dans quelle tisane,
        Noierons-nous ce vieil ennemi,
Destructeur et gourmand comme la courtisane,
        Patient comme la fourmi ?
10 Dans quel philtre ? – dans quel vin ? – dans quelle tisane ?

Dis-le, belle sorcière, oh ! dis, si tu le sais,
        À cet esprit comblé d'angoisse
Et pareil au mourant qu'écrasent les blessés,
        Que le sabot du cheval froisse,
15 Dis-le, belle sorcière, oh ! dis, si tu le sais,

À cet agonisant que le loup déjà flaire
        Et que surveille le corbeau,
À ce soldat brisé ! s'il faut qu'il désespère
        D'avoir sa croix et son tombeau ;
20 Ce pauvre agonisant que déjà le loup flaire !

Peut-on illuminer un ciel bourbeux[2] et noir ?
        Peut-on déchirer des ténèbres
Plus denses que la poix[3], sans matin et sans soir,
        Sans astres, sans éclairs funèbres ?
25 Peut-on illuminer un ciel bourbeux et noir ?

L'Espérance qui brille aux carreaux de l'Auberge
        Est soufflée, est morte à jamais !
Sans lune et sans rayons, trouver où l'on héberge
        Les martyrs d'un chemin mauvais !
30 Le Diable a tout éteint aux carreaux de l'Auberge !

----

1. *Philtre* : breuvage magique qui inspire l'amour.
2. *Bourbeux* : impur, souillé comme par de la boue.
3. *Poix* : substance noire, collante et imperméable servant au colmatage des bateaux.

Adorable sorcière, aimes-tu les damnés ?
Dis, connais-tu l'irrémissible[1] ?
Connais-tu le Remords, aux traits empoisonnés,
À qui notre cœur sert de cible ?
35 Adorable sorcière, aimes-tu les damnés ?

L'Irréparable ronge avec sa dent maudite
Notre âme, piteux monument,
Et souvent il attaque, ainsi que le termite,
Par la base le bâtiment.
40 L'Irréparable ronge avec sa dent maudite !

– J'ai vu parfois, au fond d'un théâtre banal
Qu'enflammait l'orchestre sonore,
Une fée allumer dans un ciel infernal
Une miraculeuse aurore ;
45 J'ai vu parfois au fond d'un théâtre banal

Un être, qui n'était que lumière, or et gaze[2],
Terrasser l'énorme Satan ;
Mais mon cœur, que jamais ne visite l'extase,
Est un théâtre où l'on attend
50 Toujours, toujours en vain, l'Être aux ailes de gaze !

---

1. *Irrémissible* : irréversible, qui ne peut obtenir le pardon.
2. *Gaze* : tissu léger comme un voile.

LV. – Causerie

Vous êtes un beau ciel d'automne, clair et rose !
Mais la tristesse en moi monte comme la mer,
Et laisse, en refluant, sur ma lèvre morose
4 Le souvenir cuisant de son limon[1] amer.

– Ta main se glisse en vain sur mon sein qui se pâme[2] ;
Ce qu'elle cherche, amie, est un lieu saccagé
Par la griffe et la dent féroce de la femme.
8 Ne cherchez plus mon cœur ; les bêtes l'ont mangé.

Mon cœur est un palais flétri par la cohue ;
On s'y soûle, on s'y tue, on s'y prend aux cheveux !
11 – Un parfum nage autour de votre gorge[3] nue !...

Ô Beauté, dur fléau des âmes, tu le veux !
Avec tes yeux de feu, brillants comme des fêtes,
14 Calcine[4] ces lambeaux qu'ont épargnés les bêtes !

---

1. *Limon* : sédiments entraînés par le flux de l'eau, qui se déposent sur les rives ou dans le lit d'un fleuve ; amertume.
2. *Se pâme* : est transporté de ravissement.
3. *Gorge* : poitrine.
4. *Calcine* : brûle entièrement.

LVI. – Chant d'automne

I

Bientôt nous plongeons dans les froides ténèbres ;
Adieu, vive clarté de nos étés trop courts !
J'entends déjà tomber avec des chocs funèbres
4 Le bois retentissant sur le pavé des cours.

Tout l'hiver va rentrer dans mon être : colère,
Haine, frissons, horreur, labeur dur et forcé,
Et, comme le soleil dans son enfer polaire,
8 Mon cœur ne sera plus qu'un bloc rouge et glacé.

J'écoute en frémissant chaque bûche qui tombe ;
L'échafaud qu'on bâtit n'a pas d'écho plus sourd.
Mon esprit est pareil à la tour qui succombe
12 Sous les coups du bélier[1] infatigable et lourd.

Il me semble, bercé par ce choc monotone,
Qu'on cloue en grande hâte un cercueil quelque part.
Pour qui ? – C'était hier l'été ; voici l'automne !
16 Ce bruit mystérieux sonne comme un départ.

II

J'aime de vos longs yeux la lumière verdâtre,
Douce beauté, mais tout aujourd'hui m'est amer,

---

1. **Bélier** : poutre lestée d'une masse à une de ses extrémités utilisée par les Anciens pour renverser les murailles des places assiégées.

Et rien, ni votre amour, ni le boudoir[1], ni l'âtre,
20 Ne me vaut le soleil rayonnant sur la mer.

Et pourtant aimez-moi, tendre cœur! soyez mère,
Même pour un ingrat, même pour un méchant;
Amante ou sœur, soyez la douceur éphémère
24 D'un glorieux automne ou d'un soleil couchant.

Courte tâche! La tombe attend; elle est avide!
Ah! laissez-moi, mon front posé sur vos genoux,
Goûter, en regrettant l'été blanc et torride,
28 De l'arrière-saison le rayon jaune et doux!

LVII. – À une Madone[2]

Ex-voto[3] dans le goût espagnol

Je veux bâtir pour toi, Madone, ma maîtresse,
Un autel souterrain au fond de ma détresse,
Et creuser dans le coin le plus noir de mon cœur,
Loin du désir mondain et du regard moqueur,
5 Une niche[4], d'azur et d'or tout émaillée,
Où tu te dresseras, Statue émerveillée.

---

1. Boudoir : petit salon élégant de dame, réservé à l'intimité.
2. Madone : nom donné à la Vierge Marie, d'après l'italien *madonna*, «madame».
3. Ex-voto : tableau, figure, objet ou inscription qu'on place dans une église, après l'accomplissement d'un vœu ou l'obtention d'une grâce, en signe de reconnaissance ou de remerciement.
4. Niche : cavité creusée dans une paroi, dans laquelle on place un objet décoratif, une statue par exemple.

Avec mes Vers polis, treillis[1] d'un pur métal
Savamment constellé de rimes de cristal,
Je ferai pour ta tête une énorme Couronne ;
10 Et dans ma Jalousie, ô mortelle Madone,
Je saurai te tailler un Manteau, de façon
Barbare, roide[2] et lourd, et doublé de soupçon,
Qui, comme une guérite[3], enfermera tes charmes ;
Non de Perles brodé, mais de toutes mes Larmes !
15 Ta Robe, ce sera mon Désir, frémissant,
Onduleux, mon Désir qui monte et qui descend,
Aux pointes se balance, aux vallons se repose,
Et revêt d'un baiser tout ton corps blanc et rose.
Je te ferai de mon Respect de beaux Souliers
20 De satin, par tes pieds divins humiliés,
Qui, les emprisonnant dans une molle étreinte,
Comme un moule fidèle en garderont l'empreinte.
Si je ne puis, malgré tout mon art diligent[4],
Pour Marchepied[5] tailler une Lune d'argent[6],
25 Je mettrai le Serpent[7] qui me mord les entrailles
Sous tes talons, afin que tu foules et railles,
Reine victorieuse et féconde en rachats,
Ce monstre tout gonflé de haine et de crachats.
Tu verras mes Pensers[8], rangés comme les Cierges
30 Devant l'autel fleuri de la Reine des Vierges,

---

1. Treillis : enchevêtrement, entrelacement.
2. Roide : qui manque de souplesse, raide.
3. Guérite : abri, baraque aménagée pour une personne en sentinelle ou un travailleur isolé.
4. Diligent : soigné, appliqué.
5. Marchepied : estrade d'un autel ou d'un trône, piédestal.
6. Lune d'argent : attribut symbolique de la Vierge Marie de l'Apocalypse, que l'iconographie traditionnelle représente debout sur la lune.
7. Serpent : attribut symbolique de la Vierge Marie de l'Apocalypse, que l'iconographie traditionnelle représente foulant aux pieds un serpent.
8. Pensers : archaïsme pour « pensées ».

Étoilant de reflets[1] le plafond peint en bleu,
Te regarder toujours avec des yeux de feu ;
Et comme tout en moi te chérit et t'admire,
Tout se fera Benjoin, Encens, Oliban, Myrrhe[2],
35 Et sans cesse vers toi, sommet blanc et neigeux,
En Vapeurs montera mon Esprit orageux.

Enfin, pour compléter ton rôle de Marie,
Et pour mêler l'amour avec la barbarie,
Volupté[3] noire ! des sept Péchés capitaux,
40 Bourreau plein de remords, je ferai sept Couteaux[4]
Bien affilés, et, comme un jongleur insensible,
Prenant le plus profond de ton amour pour cible,
Je les planterai tous dans ton Cœur pantelant[5],
Dans ton Cœur sanglotant, dans ton Cœur ruisselant !

LVIII. – Chanson d'après-midi

Quoique tes sourcils méchants
Te donnent un air étrange
Qui n'est pas celui d'un ange,
4   Sorcière aux yeux alléchants,

---

1. Reflets : la Vierge Marie de l'Apocalypse est également couronnée de douze étoiles dont on peut penser que les reflets des «pensers» du poète sont ici les avatars.
2. Benjoin, **encens**, **oliban**, **myrrhe** : parfums à base de résines aromatiques orientales.
3. Volupté : plaisir intense.
4. Sept couteaux : allusion aux sept douleurs de la vie de Marie, prédites par le vieillard Siméon lors de la présentation de Jésus au Temple, et qui correspondent aux épreuves de la vie du Christ.
5. Pantelant : bouleversé, qui palpite sous le coup d'une vive émotion.

Je t'adore, ô ma frivole,
Ma terrible passion !
Avec la dévotion
Du prêtre pour son idole.

Le désert et la forêt
Embaument tes tresses rudes,
Ta tête a les attitudes
De l'énigme et du secret.

Sur ta chair le parfum rôde
Comme autour d'un encensoir[1] ;
Tu charmes comme le soir,
Nymphe[2] ténébreuse et chaude.

Ah ! les philtres[3] les plus forts
Ne valent pas ta paresse,
Et tu connais la caresse
Qui fait revivre les morts !

Tes hanches sont amoureuses
De ton dos et de tes seins,
Et tu ravis les coussins
Par tes poses langoureuses.

Quelquefois, pour apaiser
Ta rage mystérieuse,
Tu prodigues[4], sérieuse,
La morsure et le baiser ;

---

1. Encensoir : récipient dans lequel on fait brûler de l'encens.
2. Nymphe : divinité personnifiant la nature, liée aux forêts, aux montagnes
ou aux rivières.
3. Philtres : breuvages magiques qui inspirent l'amour.
4. Tu prodigues : tu donnes sans compter.

Tu me déchires, ma brune,
Avec un rire moqueur,
Et puis tu mets sur mon cœur
32   Ton œil doux comme la lune.

Sous tes souliers de satin,
Sous tes charmants pieds de soie,
Moi, je mets ma grande joie,
36   Mon génie et mon destin,

Mon âme par toi guérie,
Par toi, lumière et couleur !
Explosion de chaleur
40   Dans ma noire Sibérie !

LIX. – Sisina[1]

Imaginez Diane[2] en galant équipage,
Parcourant les forêts ou battant les halliers[3],
Cheveux et gorge[4] au vent, s'enivrant de tapage,
4   Superbe et défiant les meilleurs cavaliers !

Avez-vous vu Théroigne[5], amante du carnage,
Excitant à l'assaut un peuple sans souliers,

---

1. Sisina : allusion à Elisa Neri, actrice, amie de Mme Sabatier, et personnage énigmatique dont Baudelaire aurait voulu s'inspirer pour écrire, dans une nouvelle qui ne fut jamais rédigée, le portrait d'une «séduisante aventurière».
2. Diane : déesse romaine de la Chasse.
3. Halliers : buissons serrés et touffus où se cache le gibier.
4. Gorge : poitrine.
5. Théroigne : Anne Josèphe Terwagne, dite Théroigne de Méricourt (1762-1817), fut une héroïne révolutionnaire, surnommée l'«amazone de la liberté», qui se distingua lors de la prise de la Bastille et des Tuileries.

La joue et l'œil en feu, jouant son personnage,
8 Et montant, sabre au poing, les royaux escaliers ?

Telle la Sisina ! Mais la douce guerrière
A l'âme charitable autant que meurtrière ;
11 Son courage, affolé de poudre et de tambours,

Devant les suppliants sait mettre bas les armes,
Et son cœur, ravagé par la flamme, a toujours,
14 Pour qui s'en montre digne, un réservoir de larmes.

LX. – *Franciscæ meæ laudes*/
Louanges de ma Françoise

Novis te cantabo chordis,   Je te chanterai sur des cordes nouvelles,
O novelletum quod ludis   Ô ma bichette qui te joues
3 *In solitudine cordis.*   Dans la solitude de mon cœur.

Esto sertis implicata,   Sois parée de guirlandes,
O femina delicata,   Ô femme délicieuse
6 *Per quam solvuntur peccata!*   Par qui les péchés sont remis !

Sicut beneficum Lethe,   Comme d'un bienfaisant Léthé,
Hauriam oscula de te,   Je puiserai des baisers de toi
9 *Quæ imbuta es magnete.*   Qui es imprégnée d'aimant.

Quum vitiorum tempestas   Quand la tempête des vices
Turbabat omnes semitas,   Troublait toutes les routes,
12 *Apparuisti, Deitas,*   Tu m'es apparue, Déité,

Velut stella salutaris	Comme une étoile salutaire
In naufragiis amaris...	Dans les naufrages amers...
15 *Suspendam cor tuis aris!*	– Je suspendrai mon cœur à tes autels !
Piscina plena virtutis,	Piscine pleine de vertu,
Fons æternæ juventutis,	Fontaine d'éternelle jouvence,
18 *Labris vocem redde mutis!*	Rends la voix à mes lèvres muettes !
Quod erat spurcum, cremasti;	Ce qui était vil, tu l'as brûlé ;
Quod rudius, exæquasti;	Rude, tu l'as aplani ;
21 *Quod debile, confirmasti.*	Débile, tu l'as affermi.
In fame mea taberna,	Dans la faim mon auberge,
In nocte mea lucerna,	Dans la nuit ma lampe,
24 *Recte me semper guberna.*	Guide-moi toujours comme il faut.
Adde nunc vires viribus,	Ajoute maintenant des forces à mes forces.
Dulce balneum suavibus	Doux bain parfumé
27 *Unguentatum odoribus!*	De suaves odeurs !
Meos circa lumbos mica,	Brille autour de mes reins,
O castitatis lorica,	Ô ceinture de chasteté,
30 *Aqua tincta seraphica;*	Trempée d'eau séraphique ;
Patera gemmis corusca,	Coupe étincelante de pierreries,
Panis salsus, mollis esca,	Pain relevé de sel, mets délicat,
33 *Divinum vinum, Francisca!*	Vin divin, Françoise.

Trad. J. Mouquet (*Les Fleurs du mal*,
GF-Flammarion, 1991).

LXI. – À une dame créole[1]

Au pays parfumé que le soleil caresse,
J'ai connu, sous un dais[2] d'arbres tout empourprés
Et de palmiers d'où pleut sur les yeux la paresse,
4 Une dame créole aux charmes ignorés.

Son teint est pâle et chaud; la brune enchanteresse
A dans le cou des airs noblement maniérés;
Grande et svelte en marchant comme une chasseresse[3],
8 Son sourire est tranquille et ses yeux assurés.

Si vous alliez, Madame, au vrai pays de gloire,
Sur les bords de la Seine ou de la verte Loire,
11 Belle digne d'orner les antiques manoirs,

Vous feriez, à l'abri des ombreuses retraites,
Germer mille sonnets dans le cœur des poètes,
14 Que vos grands yeux rendraient plus soumis que vos noirs[4].

---

1. Poème publié en 1845 en l'honneur d'une femme rencontrée sur l'île de Bourbon (La Réunion) où Baudelaire séjourna quelques mois.
2. *Dais* : tenture qui surmonte un autel ou un trône; ici, il s'agit de la voûte naturelle constituée par la ramure des arbres.
3. *Chasseresse* : femme qui s'adonne à la chasse.
4. *Noirs* : esclaves ou domestiques noirs.

LXII. – *Mœsta et errabunda*[1]

Dis-moi, ton cœur parfois s'envole-t-il, Agathe,
Loin du noir océan de l'immonde cité,
Vers un autre océan où la splendeur éclate,
Bleu, clair, profond, ainsi que la virginité ?
5 Dis-moi, ton cœur parfois s'envole-t-il, Agathe ?

La mer, la vaste mer, console nos labeurs !
Quel démon a doté la mer, rauque chanteuse
Qu'accompagne l'immense orgue des vents grondeurs,
De cette fonction sublime de berceuse ?
10 La mer, la vaste mer, console nos labeurs !

Emporte-moi, wagon ! enlève-moi, frégate[2] !
Loin ! loin ! ici la boue est faite de nos pleurs !
– Est-il vrai que parfois le triste cœur d'Agathe
Dise : Loin des remords, des crimes, des douleurs,
15 Emporte-moi, wagon, enlève-moi, frégate ?

Comme vous êtes loin, paradis parfumé,
Où sous un clair azur tout n'est qu'amour et joie,
Où tout ce que l'on aime est digne d'être aimé,
Où dans la volupté[3] pure le cœur se noie !
20 Comme vous êtes loin, paradis parfumé !

Mais le vert paradis des amours enfantines,
Les courses, les chansons, les baisers, les bouquets,
Les violons vibrant derrière les collines,
Avec les brocs de vin, le soir, dans les bosquets,
25 – Mais le vert paradis des amours enfantines,

---

1. *Mœsta et errabunda* : titre latin qui signifie « triste et vagabonde ».
2. *Frégate* : voilier à trois mâts.
3. *Volupté* : plaisir intense.

L'innocent paradis, plein de plaisirs furtifs,
Est-il déjà plus loin que l'Inde et que la Chine ?
Peut-on le rappeler avec des cris plaintifs,
Et l'animer encor[1] d'une voix argentine,
30 L'innocent paradis plein de plaisirs furtifs ?

LXIII. – Le Revenant

Comme les anges à l'œil fauve,
Je reviendrai dans ton alcôve[2]
Et vers toi glisserai sans bruit
4   Avec les ombres de la nuit ;

Et je te donnerai, ma brune,
Des baisers froids comme la lune
Et des caresses de serpent
8   Autour d'une fosse rampant.

Quand viendra le matin livide[3],
Tu trouveras ma place vide,
11   Où jusqu'au soir il fera froid.

Comme d'autres par la tendresse,
Sur ta vie et sur ta jeunesse,
14   Moi, je veux régner par l'effroi.

---

1. Élision du *e* final pour des raisons de versification.
2. *Alcôve* : lieu secret des amours.
3. *Livide* : pâle, blafard.

LXIV. – Sonnet d'automne

Ils me disent, tes yeux, clairs comme le cristal :
«Pour toi, bizarre amant, quel est donc mon mérite?»
– Soi charmante et tais-toi! Mon cœur, que tout irrite,
4 Excepté la candeur[1] de l'antique animal,

Ne veut pas te montrer son secret infernal,
Berceuse dont la main aux longs sommeils m'invite,
Ni sa noire légende avec la flamme écrite.
8 Je hais la passion et l'esprit me fait mal!

Aimons-nous doucement. L'Amour dans sa guérite[2],
Ténébreux, embusqué[3], bande[4] son arc fatal.
11 Je connais les engins[5] de son vieil arsenal[6] :

Crime, horreur et folie! – Ô pâle marguerite!
Comme moi n'es-tu pas un soleil automnal,
14 Ô ma si blanche, ô ma si froide Marguerite?

---

1. *Candeur* : innocence, franchise.
2. *Guérite* : abri, baraque aménagée pour une personne en sentinelle ou un travailleur isolé.
3. *Embusqué* : caché, tapi à l'abri du danger.
4. *Bande* : tend avec effort.
5. *Engins* : nom générique donné, avant l'invention du canon, aux armes lançant des projectiles.
6. *Arsenal* : entrepôt où sont remisés armes et munitions, équipement d'armes, moyens d'attaque ou de défense.

LXV. – Tristesses de la lune

Ce soir, la lune rêve avec plus de paresse ;
Ainsi qu'une beauté, sur de nombreux coussins,
Qui d'une main distraite et légère caresse
4 Avant de s'endormir le contour de ses seins,

Sur le dos satiné des molles avalanches,
Mourante, elle se livre aux longues pâmoisons[1],
Et promène ses yeux sur les visions blanches
8 Qui montent dans l'azur comme des floraisons.

Quand parfois sur ce globe, en sa langueur[2] oisive,
Elle laisse filer une larme furtive,
11 Un poète pieux, ennemi du sommeil,

Dans le creux de sa main prend cette larme pâle,
Aux reflets irisés comme un fragment d'opale[3],
14 Et la met dans son cœur loin des yeux du soleil.

LXVI. – Les Chats

Les amoureux fervents et les savants austères
Aiment également, dans leur mûre saison,
Les chats puissants et doux, orgueil de la maison,
4 Qui comme eux sont frileux et comme eux sédentaires[4].

---

1. *Pâmoisons* : états d'abandon, de bien-être ensommeillé.
2. *Langueur* : affaiblissement physique ou moral, manque d'énergie, nonchalance.
3. *Opale* : pierre précieuse aux reflets irisés et changeants.
4. *Sédentaires* : casaniers, qui ne quittent guère leur domicile.

Amis de la science et de la volupté[1],
Ils cherchent le silence et l'horreur des ténèbres ;
L'Érèbe[2] les eût pris pour ses coursiers[3] funèbres,
8 S'ils pouvaient au servage[4] incliner leur fierté.

Ils prennent en songeant les nobles attitudes
Des grands sphinx[5] allongés au fond des solitudes,
11 Qui semblent s'endormir dans un rêve sans fin ;

Leurs reins féconds sont pleins d'étincelles magiques,
Et des parcelles d'or, ainsi qu'un sable fin,
14 Étoilent vaguement leurs prunelles mystiques.

LXVII. – Les Hiboux

Sous les ifs noirs qui les abritent,
Les hiboux se tiennent rangés,
Ainsi que des dieux étrangers,
4 Dardant leur œil rouge. Ils méditent.

Sans remuer ils se tiendront
Jusqu'à l'heure mélancolique
Où, poussant le soleil oblique,
8 Les ténèbres s'établiront.

---

1. *Volupté* : plaisir intense.
2. *Érèbe* : fils du Chaos et de la Nuit, dans la mythologie grecque. L'Érèbe désigne aussi la partie la plus ténébreuse des Enfers, où séjournent les morts.
3. *Coursiers* : chevaux.
4. *Servage* : soumission, obéissance à un maître.
5. *Sphinx* : monstre fabuleux de la mythologie grecque, qui possède une tête et un buste de femme, un corps de lion et des ailes d'oiseau. Il terrorisait Thèbes, en proposant des énigmes aux passants et en dévorant ceux qui ne parvenaient pas à les résoudre. Ici, la position allongée et la posture évoquent également la statue monumentale du sphinx de Gizeh située devant les pyramides égyptiennes.

Leur attitude au sage enseigne
Qu'il faut en ce monde qu'il craigne
11   Le tumulte et le mouvement ;

L'homme ivre d'une ombre qui passe
Porte toujours le châtiment
14   D'avoir voulu changer de place.

LXVIII. – La Pipe

Je suis la pipe d'un auteur ;
On voit, à contempler ma mine
D'Abyssinienne[1] ou de Cafrine[2],
4   Que mon maître est un grand fumeur.

Quand il est comblé de douleur,
Je fume comme la chaumine[3]
Où se prépare la cuisine
8   Pour le retour du laboureur.

J'enlace et je berce son âme
Dans le réseau mobile et bleu
11   Qui monte de ma bouche en feu,

Et je roule un puissant dictame[4]
Qui charme son cœur et guérit
14   De ses fatigues son esprit.

---

1. *Abyssinienne* : femme originaire d'Abyssinie, ancien nom de l'Éthiopie.
2. *Cafrine* : femme originaire de Cafrerie, région d'Afrique du Sud.
3. *Chaumine* : petite chaumière.
4. *Dictame* : plante aromatique aux vertus apaisantes ; au sens figuré, remède
à la souffrance morale.

LXIX. – La Musique

La musique souvent me prend comme une mer !
      Vers ma pâle étoile,
Sous un plafond de brume ou dans un vaste éther[1],
4   Je mets à la voile ;

La poitrine en avant et les poumons gonflés
      Comme de la toile,
J'escalade le dos des flots amoncelés
8   Que la nuit me voile ;

Je sens vibrer en moi toutes les passions
      D'un vaisseau qui souffre ;
11 Le bon vent, la tempête et ses convulsions

      Sur l'immense gouffre
Me bercent. D'autre fois, calme plat, grand miroir
14   De mon désespoir !

LXX. – Sépulture

Si par une nuit lourde et sombre
Un bon chrétien, par charité,
Derrière quelque vieux décombre
4 Enterre votre corps vanté,

---

1. *Éther* : espace céleste situé au-dessus de l'atmosphère et rempli d'un fluide subtil, mi-liquide mi-gazeux.

■ *Si par une nuit lourde et sombre*, par Odilon Redon (1840-1916), d'après le poème de Baudelaire « Sépulture ».

À l'heure où les chastes étoiles
Ferment leurs yeux appesantis,
L'araignée y fera ses toiles,
8   Et la vipère ses petits ;

Vous entendrez toute l'année
Sur votre tête condamnée
11   Les cris lamentables des loups

Et des sorcières faméliques[1],
Les ébats des vieillards lubriques[2]
14   Et les complots des noirs filous.

LXXI. – Une gravure fantastique[3]

Ce spectre singulier n'a pour toute toilette,
Grotesquement campé[4] sur son front de squelette,
Qu'un diadème affreux sentant le carnaval.
Sans éperons, sans fouet, il essouffle un cheval,
5   Fantôme comme lui, rosse[5] apocalyptique,
Qui bave des naseaux comme un épileptique[6].
Au travers de l'espace ils s'enfoncent tous deux,
Et foulent l'infini d'un sabot hasardeux.

---

1. *Faméliques* : décharnées, amaigries par le manque de nourriture.
2. *Lubriques* : animés d'un appétit de débauche sexuelle.
3. Ce poème évoque les dessins de J.H. Mortimer et de Dürer représentant le cavalier de l'Apocalypse.
4. *Campé* : établi, installé.
5. *Rosse* : mauvais cheval, canasson.
6. *Épileptique* : atteint d'une maladie neurologique qui se manifeste par de brusques convulsions.

■ Gravure tirée d'un dessin de J. Mortimer, *Death on a Pale Horse* (1784), qui inspira le poème de Baudelaire, « Une gravure fantastique ».

Le cavalier promène un sabre qui flamboie
10 Sur les foules sans nom que sa monture broie,
Et parcourt, comme un prince inspectant sa maison,
Le cimetière immense et froid, sans horizon,
Où gisent, aux lueurs d'un soleil blanc et terne,
Les peuples de l'histoire ancienne et moderne.

LXXII. – Le Mort joyeux

Dans une terre grasse et pleine d'escargots
Je veux creuser moi-même une fosse profonde,
Où je puisse à loisir étaler mes vieux os
4 Et dormir dans l'oubli comme un requin dans l'onde.

Je hais les testaments et je hais les tombeaux ;
Plutôt que d'implorer une larme du monde,
Vivant, j'aimerais mieux inviter les corbeaux
8 À saigner tous les bouts de ma carcasse immonde.

Ô vers ! noirs compagnons sans oreille et sans yeux,
Voyez venir à vous un mort libre et joyeux ;
11 Philosophes viveurs[1], fils de la pourriture,

À travers ma ruine allez donc sans remords,
Et dites-moi s'il est encor[2] quelque torture
14 Pour ce vieux corps sans âme et mort parmi les morts !

---

1. *Viveurs* : qui mènent une vie de plaisirs.
2. Élision du *e* final pour des raisons de versification.

Charles Baudelaire : un poète maudit

L'existence de Charles Baudelaire est l'exemple même d'une « vie de bohème ». Le poète dandy multiplie les voyages. Très endetté malgré ses activités de journaliste et de critique d'art, il avoue sans détours son addiction à l'opium. Son mode de vie scandaleux et son goût pour la provocation le placent à rebours des valeurs esthétiques et morales de la société de son temps. C'est pourquoi il semble correspondre à ce que Paul Verlaine appellera à la fin du siècle « les poètes maudits », comme Stéphane Mallarmé ou Arthur Rimbaud.

▶ Charles Baudelaire, *Autoportrait*, Paris, musée d'Orsay. Baudelaire est également l'auteur de nombreux dessins à l'encre, tels que des autoportraits ou des illustrations pour ses poèmes.

▲ Gustave Courbet (1819-1877), *Portrait de Baudelaire*, 1848, Montpellier, musée Fabre.
L'écrivain Champfleury rapporte ces paroles du peintre réaliste Gustave Courbet :
« Je ne sais comment aboutir au portrait de Baudelaire, tous les jours il change de figure. »
Gustave Courbet entreprend de peindre son ami poète au travail. Tout en reproduisant
les éléments classiques de la représentation picturale d'un écrivain (plumier, livres),
Courbet saisit le poète dans toute la puissance de son inspiration. On notera comment
la lumière met davantage en valeur le décor que le visage du poète, et comment le cadre
excède le sujet représenté : les livres dépassent de sa table de travail et la plume,
rappelant la célèbre image de l'albatros, pointe vers un ailleurs invisible.

« Ces fleurs maladives »

En 1857 paraît une première édition des *Fleurs du mal*, qui sera immédiatement condamnée pour immoralité. On reproche particulièrement à Baudelaire le choix morbide de ses thèmes (la mort, la prostitution, la pauvreté, l'ivresse...) et son culte du laid, qui renverse les codes poétiques traditionnels.

◀ Jean Veber (1864-1928), « L'Ennui », estampe, illustration pour la deuxième version du projet de préface des *Fleurs du mal*, 1896.

▶ Odilon Redon (1840-1916), cul-de-lampe pour *Les Fleurs du mal*, 1890, Paris, Bibliothèque nationale de France.

Entre spleen et idéal

L'œuvre de Baudelaire a pour point de départ une double source d'inspiration : le spleen (mal de vivre, mélancolie) et l'idéal (perfection formelle). Cette dualité se retrouve dans *Les Fleurs du mal* : la noirceur des thématiques modernes que Baudelaire aborde contraste avec une aspiration profonde à l'idéal et à l'éternité.

◀ Félicien Rops (1833-1898), frontispice du recueil *Les Épaves* de Charles Baudelaire, 1866, Paris, Bibliothèque nationale de France.

▶ Georges Rouault (1871-1958), *Squelette*, gravure n° 9 pour *Les Fleurs du mal*, 1943, Paris, Centre Georges-Pompidou.

▲ Henri Matisse (1869-1954), *Luxe, calme et volupté*, 1904, Paris, musée d'Orsay.

Questions

1. Dans les images de la page 4, quels éléments évoquent la double inspiration des *Fleurs du mal*, entre spleen et idéal ?
2. Quelle impression se dégage du tableau de Matisse ? En quoi illustre-t-il l'œuvre de Baudelaire ?

Baudelaire ou « le goût précoce des femmes[*] »

Baudelaire a entretenu des relations tumultueuses avec de nombreuses femmes : on peut notamment citer la sulfureuse Jeanne Duval (voir p. 88) ou la vertueuse Apollonie Sabatier. Ces femmes réelles ont inspiré certains textes du recueil, où les figures féminines sont omniprésentes, que ce soit sous forme d'allégories (« La Mort », « La Beauté », « La Douleur »…), de divinités mythologiques (Diane, Vénus, Circé…), de femmes courtisées ou de courtisanes.

◀ Charles Maurin
(1856-1914),
Les Fleurs du mal,
1891, Saint-Étienne,
musée d'Art
et d'Industrie.

▶ Charles Baudelaire,
*Portrait de femme,
à mi-corps, de face,
largement décolletée*,
Paris, musée d'Orsay.

[*]Citation tirée du journal intime de Baudelaire, *Fusées*, 1851.

▲ Georges Rouault, *Nu aux bras levés*, entre 1929 et 1939, Paris, Centre Georges-Pompidou.

Les Fleurs du mal de Baudelaire, spectacle théâtral

Les Fleurs du mal ont récemment inspiré un spectacle théâtral et musical : au sein d'un décor champêtre, un acteur fait résonner sur scène une sélection des poèmes les plus marquants du recueil. Parmi les textes déclamés, des extraits des *Fleurs du mal* se mêlent à des chansons actuelles des compositeurs-interprètes Brigitte Fontaine et Areski Belkacem. Ainsi, cette interprétation souligne toute la modernité de l'œuvre poétique de Baudelaire.

▲ *Les Fleurs du mal* de Baudelaire, mise en scène de Françoise Courvoisier, 2013, Bruxelles, théâtre Le Public.

Questions

1. Comment est représenté le poète ? Décrivez-le précisément.
2. Quels éléments de cette mise en scène sont directement inspirés des *Fleurs du mal* ?
3. Quelle impression se dégage de cette scène ?

LXXIII. – Le Tonneau de la haine

La Haine est le tonneau des pâles Danaïdes[1] ;
La Vengeance éperdue aux bras rouges et forts
A beau précipiter dans ses ténèbres vides
4 De grands seaux pleins du sang et des larmes des morts,

Le Démon fait des trous secrets à ces abîmes[2],
Par où fuiraient mille ans de sueurs et d'efforts,
Quand même elle saurait ranimer ses victimes,
8 Et pour les pressurer[3] ressusciter leurs corps.

La Haine est un ivrogne au fond d'une taverne,
Qui sent toujours la soif naître de la liqueur
11 Et se multiplier comme l'hydre de Lerne[4].

– Mais les buveurs heureux connaissent leur vainqueur,
Et la Haine est vouée à ce sort lamentable
14 De ne pouvoir jamais s'endormir sous la table.

---

1. *Danaïdes* : dans la mythologie grecque, filles de Danaos ; pour avoir assassiné leurs époux pendant leur nuit de noces, elles ont été condamnées à remplir éternellement d'eau des tonneaux sans fond.
2. *Abîmes* : au sens figuré, profondeurs insondables, gouffres.
3. *Pressurer* : presser, étreindre.
4. *Hydre de Lerne* : monstre mythologique tué par Hercule, dans les marais de Lerne. Ce serpent d'eau à corps de chien possédait sept têtes qui repoussaient aussitôt qu'elles étaient tranchées.

LXXIV. – La Cloche fêlée

Il est amer et doux, pendant les nuits d'hiver,
D'écouter, près du feu qui palpite et qui fume,
Les souvenirs lointains lentement s'élever
4 Au bruit des carillons qui chantent dans la brume.

Bienheureuse la cloche au gosier vigoureux
Qui, malgré sa vieillesse, alerte et bien portante,
Jette fidèlement son cri religieux,
8 Ainsi qu'un vieux soldat qui veille sous la tente !

Moi, mon âme est fêlée, et lorsqu'en ses ennuis
Elle veut de ses chants peupler l'air froid des nuits,
11 Il arrive souvent que sa voix affaiblie

Semble le râle[1] épais d'un blessé qu'on oublie
Au bord d'un lac de sang, sous un grand tas de morts,
14 Et qui meurt, sans bouger, dans d'immenses efforts.

LXXV. – Spleen

Pluviôse[2], irrité contre la ville entière,
De son urne à grands flots verse un froid ténébreux
Aux pâles habitants du voisin cimetière
4 Et la mortalité sur les faubourgs brumeux.

---

1. *Râle* : respiration rauque des moribonds.
2. *Pluviôse* : cinquième mois du calendrier révolutionnaire (20 janvier-19 février).

Mon chat sur le carreau cherchant une litière
Agite sans repos son corps maigre et galeux[1] ;
L'âme d'un vieux poète erre dans la gouttière
8   Avec la triste voix d'un fantôme frileux.

Le bourdon[2] se lamente, et la bûche enfumée
Accompagne en fausset[3] la pendule enrhumée,
11 Cependant qu'en un jeu plein de sales parfums,

Héritage fatal d'une vieille hydropique[4],
Le beau valet de cœur et la dame de pique
14 Causent sinistrement de leurs amours défunts.

LXXVI. – Spleen

J'ai plus de souvenirs que si j'avais mille ans.

Un gros meuble à tiroirs encombré de bilans,
De vers, de billets doux, de procès, de romances,
Avec de lourds cheveux roulés dans des quittances[5],
5   Cache moins de secrets que mon triste cerveau.
C'est une pyramide, un immense caveau,
Qui contient plus de morts que la fosse commune.

---

1. Galeux : atteint de la gale, maladie de peau contagieuse.
2. Bourdon : grosse cloche ayant un son grave.
3. Fausset : timbre de voix très aigu.
4. Hydropique : personne atteinte d'hydropisie, c'est-à-dire d'épanchements de liquides dans les cavités du corps, notamment l'abdomen, qui se traduisent par un ventre très gonflé.
5. Quittances : écrits reconnaissant l'acquittement d'une dette.

    – Je suis un cimetière abhorré[1] de la lune,
    Où comme des remords se traînent de longs vers
10 Qui s'acharnent toujours sur mes morts les plus chers.
    Je suis un vieux boudoir[2] plein de roses fanées,
    Où gît tout un fouillis de modes surannées[3],
    Où les pastels plaintifs et les pâles Boucher[4],
    Seuls, respirent l'odeur d'un flacon débouché.

15 Rien n'égale en longueur les boiteuses journées,
    Quand sous les lourds flocons des neigeuses années
    L'ennui, fruit de la morne incuriosité[5],
    Prend les proportions de l'immortalité.
    – Désormais tu n'es plus, ô matière vivante !
20 Qu'un granit entouré d'une vague épouvante,
    Assoupi dans le fond d'un Sahara brumeux ;
    Un vieux sphinx[6] ignoré du monde insoucieux,
    Oublié sur la carte, et dont l'humeur farouche

    Ne chante qu'aux rayons du soleil qui se couche.

---

1. *Abhorré* : tenu en horreur.

2. *Boudoir* : petit salon élégant de dame, réservé à l'intimité.

3. *Surannées* : désuètes, démodées.

4. *Boucher* : peintre français du XVIIIᵉ siècle spécialisé dans les scènes mytho-logiques et pastorales, dont le style gracieux a pu être taxé de fadeur et de maniérisme.

5. *Incuriosité* : absence de curiosité, d'intérêt pour ce qu'on ne connaît pas ; repli sur soi.

6. *Sphinx* : monstre fabuleux de la mythologie grecque, qui possède une tête et un buste de femme, un corps de lion et des ailes d'oiseau. Il terrorisait Thèbes, en proposant des énigmes aux passants et en dévorant ceux qui ne parvenaient pas à les résoudre. Ici, la mention du granit et du désert convoque dans l'esprit du lecteur l'image de la statue monumentale du sphinx de Gizeh située devant les pyramides égyptiennes.

LXXVII. – Spleen

Je suis comme le roi d'un pays pluvieux,
Riche, mais impuissant, jeune et pourtant très vieux,
Qui, de ses précepteurs[1] méprisant les courbettes[2],
S'ennuie avec ses chiens comme avec d'autres bêtes.
5 Rien ne peut l'égayer, ni gibier, ni faucon,
Ni son peuple mourant en face du balcon.
Du bouffon favori la grotesque ballade[3]
Ne distrait plus le front de ce cruel malade ;
Son lit fleurdelisé[4] se transforme en tombeau,
10 Et les dames d'atour[5], pour qui tout prince est beau,
Ne savent plus trouver d'impudique toilette
Pour tirer un souris[6] de ce jeune squelette.
Le savant qui lui fait de l'or n'a jamais pu
De son être extirper l'élément corrompu[7],
15 Et dans ces bains de sang qui des Romains nous viennent,
Et dont sur leurs vieux jours les puissants se souviennent,
Il n'a su réchauffer ce cadavre hébété
Où coule au lieu de sang l'eau verte du Léthé[8].

---

1. *Précepteurs* : personnes chargées de l'instruction.
2. *Courbettes* : révérences polies.
3. *Ballade* : chanson médiévale et danse qui l'accompagne.
4. *Fleurdelisé* : orné de fleurs de lys (emblème de la monarchie).
5. *Dames d'atour* : dames de compagnie qui veillent à la toilette de leur maîtresse.
6. *Souris* : archaïsme pour «sourire».
7. *Corrompu* : dont la pureté a été altérée, dénaturée.
8. *Léthé* : fleuve des Enfers dans la mythologie grecque. Ses eaux ont la vertu de faire oublier le passé à ceux qui s'en abreuvent. On y faisait en particulier boire aux morts l'oubli de leur vie passée de plaisirs et de licence.

LXXVIII. – Spleen

Quand le ciel bas et lourd pèse comme un couvercle
Sur l'esprit gémissant en proie aux longs ennuis,
Et que de l'horizon embrassant tout le cercle
4 Il nous verse un jour noir plus triste que les nuits ;

Quand la terre est changée en un cachot humide,
Où l'Espérance, comme une chauve-souris,
S'en va battant les murs de son aile timide
8 Et se cognant la tête à des plafonds pourris ;

Quand la pluie étalant ses immenses traînées
D'une vaste prison imite les barreaux,
Et qu'un peuple muet d'infâmes araignées
12 Vient tendre ses filets au fond de nos cerveaux,

Des cloches tout à coup sautent avec furie
Et lancent vers le ciel un affreux hurlement,
Ainsi que des esprits errants et sans patrie
16 Qui se mettent à geindre opiniâtrement[1].

– Et de longs corbillards, sans tambours ni musique,
Défilent lentement dans mon âme ; l'Espoir,
Vaincu, pleure, et l'Angoisse atroce, despotique[2],
20 Sur mon crâne incliné plante son drapeau noir.

---

1. *Opiniâtrement* : obstinément.
2. *Despotique* : tyrannique.

LXXIX. – Obsession

Grands bois, vous m'effrayez comme des cathédrales ;
Vous hurlez comme l'orgue ; et dans nos cœurs maudits,
Chambres d'éternel deuil où vibrent de vieux râles[1],
4 Répondent les échos de vos *De profundis*[2].

Je te hais, Océan ! tes bonds et tes tumultes,
Mon esprit les retrouve en lui ; ce rire amer
De l'homme vaincu, plein de sanglots et d'insultes,
8 Je l'entends dans le rire énorme de la mer.

Comme tu me plairais, ô nuit ! sans ces étoiles
Dont la lumière parle un langage connu !
11 Car je cherche le vide, et le noir, et le nu !

Mais les ténèbres sont elles-mêmes des toiles
Où vivent, jaillissant de mon œil par milliers,
14 Des êtres disparus aux regards familiers.

LXXX. – Le Goût du néant

Morne esprit, autrefois amoureux de la lutte,
L'Espoir, dont l'éperon attisait ton ardeur,
Ne veut plus t'enfourcher ! Couche-toi sans pudeur,
Vieux cheval dont le pied à chaque obstacle bute.

5 Résigne-toi, mon cœur ; dors ton sommeil de brute.

---

1. *Râles* : respirations rauques des moribonds.
2. *De profundis* : premiers mots d'un psaume catholique chanté pour les défunts, qui signifient «du fond de l'abîme».

Esprit vaincu, fourbu[1] ! Pour toi, vieux maraudeur[2],
L'amour n'a plus de goût, non plus que la dispute ;
Adieu donc, chants du cuivre et soupirs de la flûte !
Plaisirs, ne tentez plus un cœur sombre et boudeur !

10 Le Printemps adorable a perdu son odeur !

Et le Temps m'engloutit minute par minute,
Comme la neige immense un corps pris de roideur[3] ;
Je contemple d'en haut le globe en sa rondeur
Et je n'y cherche plus l'abri d'une cahute.

15 Avalanche, veux-tu m'emporter dans ta chute ?

LXXXI. – Alchimie de la douleur

L'un t'éclaire avec son ardeur,
L'autre en toi met son deuil, Nature !
Ce qui dit à l'un : Sépulture !
4   Dit à l'autre : Vie et splendeur !

Hermès[4] inconnu qui m'assistes
Et qui toujours m'intimidas,
Tu me rends l'égal de Midas[5],
8   Le plus triste des alchimistes ;

---

1. *Fourbu* : harassé, fatigué.
2. *Maraudeur* : voleur vagabond, rôdeur.
3. *Roideur* : manque de souplesse, raideur.
4. *Hermès* : dieu grec fondateur de l'alchimie.
5. *Midas* : roi légendaire et héros mythologique que Dionysos a gratifié du don de tout transformer en or. Incapable de manger ni de boire puisque ce qu'il porte à la bouche se transforme en or, Midas supplie le dieu de reprendre sa faveur.

Par toi je change l'or en fer
Et le paradis en enfer;
11 Dans le suaire[1] des nuages

Je découvre un cadavre cher,
Et sur les célestes rivages
14 Je bâtis de grands sarcophages[2].

LXXXII. – Horreur sympathique

De ce ciel bizarre et livide[3],
Tourmenté comme ton destin,
Quels pensers[4] dans ton âme vide
4 Descendent? réponds, libertin[5].

– Insatiablement[6] avide
De l'obscur et de l'incertain,
Je ne geindrai pas comme Ovide[7]
8 Chassé du paradis latin.

---

1. **Suaire** : linceul, pièce d'étoffe blanche dans laquelle on ensevelit un mort.
2. **Sarcophages** : cercueils de pierre.
3. **Livide** : pâle, blafard.
4. **Pensers** : archaïsme pour «pensées».
5. **Libertin** : incroyant, rebelle, libre-penseur.
6. **Insatiablement** : d'une manière insatiable, impossible à rassasier.
7. **Ovide** : poète latin du Ier siècle av. J.-C., exilé par l'empereur Auguste, à Tomes, sur les rives du Pont-Euxin (actuelle mer Noire), en Dacie, où il écrivit *Les Tristes*, recueil d'élégies composées sous forme de lettres adressées aux siens.

Cieux déchirés comme des grèves[1],
En vous se mire mon orgueil,
11   Vos vastes nuages en deuil

Sont les corbillards[2] de mes rêves,
Et vos lueurs sont le reflet
14   De l'Enfer où mon cœur se plaît.

LXXXIII. – L'Héautontimorouménos[3]

À J. G. F.[4].

Je te frapperai sans colère
Et sans haine, comme un boucher,
Comme Moïse le rocher[5] !
4   Et je ferai de ta paupière,

Pour abreuver mon Sahara[6],
Jaillir les eaux de la souffrance.
Mon désir gonflé d'espérance
8   Sur tes pleurs salés nagera

---

1. *Grèves* : bords de mer, rivages arides où rien ne pousse.
2. *Corbillards* : voitures funèbres.
3. *Héautontimorouménos* : titre emprunté à une comédie de Térence, poète latin du Ier siècle av. J.-C., et qui signifie, en grec, « qui se châtie lui-même ».
4. Cette dédicace reste incertaine : soit il s'agit de Jeanne Duval « Jeanne, Gentille Femme », soit d'une certaine Juliette Grex-Fagon, dont on ne sait rien.
5. *Moïse le rocher* : allusion à un épisode biblique de la traversée du désert lors duquel Moïse frappe un rocher et en fait sourdre une source pour abreuver son peuple.
6. *Sahara* : désert du Maghreb. Dans l'épisode biblique, le désert traversé était le Sinaï.

Comme un vaisseau qui prend le large,
Et dans mon cœur qu'ils soûleront
Tes chers sanglots retentiront
Comme un tambour qui bat la charge !

Ne suis-je pas un faux accord
Dans la divine symphonie,
Grâce à la vorace Ironie
Qui me secoue et qui me mord ?

Elle est dans ma voix, la criarde !
C'est tout mon sang, ce poison noir !
Je suis le sinistre miroir
Où la mégère[1] se regarde.

Je suis la plaie et le couteau !
Je suis le soufflet[2] et la joue !
Je suis les membres et la roue[3],
Et la victime et le bourreau !

Je suis de mon cœur le vampire,
– Un de ces grands abandonnés
Au rire éternel condamnés,
Et qui ne peuvent plus sourire !

---

1. *Mégère* : femme acariâtre, qualifie ici l'Ironie.
2. *Soufflet* : gifle.
3. *Roue* : instrument de torture sur lequel on faisait tourner la victime après lui avoir rompu les membres.

LXXXIV. – L'Irrémédiable

I

Une Idée, une Forme, un Être
Parti de l'azur et tombé
Dans un Styx[1] bourbeux[2] et plombé
4   Où nul œil du Ciel ne pénètre ;

Un Ange, imprudent voyageur
Qu'a tenté l'amour du difforme,
Au fond d'un cauchemar énorme
8   Se débattant comme un nageur,

Et luttant, angoisses funèbres !
Contre un gigantesque remous
Qui va chantant comme les fous
12   Et pirouettant dans les ténèbres ;

Un malheureux ensorcelé
Dans ses tâtonnements futiles,
Pour fuir d'un lieu plein de reptiles,
16   Cherchant la lumière et la clé ;

Un damné descendant sans lampe,
Au bord d'un gouffre dont l'odeur
Trahit l'humide profondeur,
20   D'éternels escaliers sans rampe,

---

1. *Styx* : fleuve de la mythologie grecque qui marque l'entrée des Enfers.
2. *Bourbeux* : impur, comme souillé par de la boue.

Où veillent des monstres visqueux
Dont les larges yeux de phosphore[1]
Font une nuit plus noire encore
Et ne rendent visible qu'eux ;

Un navire pris dans le pôle,
Comme en un piège de cristal,
Cherchant par quel détroit fatal
Il est tombé dans cette geôle[2] ;

– Emblèmes nets, tableau parfait
D'une fortune[3] irrémédiable,
Qui donne à penser que le Diable
Fait toujours bien tout ce qu'il fait !

II

Tête-à-tête sombre et limpide
Qu'un cœur devenu son miroir !
Puits de Vérité, clair et noir,
Où tremble une étoile livide[4],

Un phare ironique, infernal,
Flambeau des grâces sataniques,
Soulagement et gloire uniques,
– La conscience dans le Mal !

---

1. *Phosphore* : substance lumineuse dans l'obscurité.
2. *Geôle* : prison.
3. *Fortune* : sens latin de sort, destin.
4. *Livide* : pâle, blafarde.

LXXXV. – L'Horloge

Horloge! dieu sinistre, effrayant, impassible[1],
Dont le doigt nous menace et nous dit : «*Souviens-toi!*
Les vibrantes Douleurs dans ton cœur plein d'effroi
4 Se planteront bientôt comme dans une cible;

Le Plaisir vaporeux fuira vers l'horizon
Ainsi qu'une sylphide[2] au fond de la coulisse;
Chaque instant te dévore un morceau du délice
8 À chaque homme accordé pour toute sa saison.

Trois mille six cents fois par heure, la Seconde
Chuchote : *Souviens-toi!* – Rapide, avec sa voix
D'insecte, Maintenant dit : Je suis Autrefois,
12 Et j'ai pompé ta vie avec ma trompe immonde!

Remember! Souviens-toi, prodigue! *Esto memor*[3]!
(Mon gosier de métal parle toutes les langues.)
Les minutes, mortel folâtre[4], sont des gangues[5]
16 Qu'il ne faut pas lâcher sans en extraire l'or!

Souviens-toi que le Temps est un joueur avide
Qui gagne sans tricher, à tout coup! c'est la loi.
Le jour décroît; la nuit augmente, *souviens-toi!*
20 Le gouffre a toujours soif; la clepsydre[6] se vide.

---

1. *Impassible* : indifférent, qui ne laisse transparaître aucune émotion.
2. *Sylphide* : être féminin surnaturel plein de grâce, doté d'ailes pour se déplacer dans les airs, emprunté aux légendes germaniques.
3. *Remember, esto memor* : «souviens-toi», respectivement en anglais et en latin.
4. *Folâtre* : superficiel, léger, qui ne pense qu'à jouer.
5. *Gangues* : enveloppes terreuses ou métalliques d'une pierre précieuse, ou d'un minerai à l'état naturel.
6. *Clepsydre* : horloge ancienne qui mesure le temps par écoulement d'eau.

Tantôt sonnera l'heure où le divin Hasard,
Où l'auguste Vertu, ton épouse encor[1] vierge,
Où le Repentir même (oh! la dernière auberge!),
24 Où tout te dira : Meurs, vieux lâche! il est trop tard!»

---

1. Élision du *e* final pour des raisons de versification.

■ *Le Petit-Pont* (1850), par Charles Méryon (1821-1861).

Tableaux parisiens

LXXXVI. – Paysage

Je veux, pour composer chastement mes églogues[1],
Coucher auprès du ciel, comme les astrologues,
Et, voisin des clochers, écouter en rêvant
Leurs hymnes solennels emportés par le vent.
5 Les deux mains au menton, du haut de ma mansarde[2],
Je verrai l'atelier qui chante et qui bavarde;
Les tuyaux, les clochers, ces mâts de la cité,
Et les grands ciels qui font rêver d'éternité.

Il est doux, à travers les brumes, de voir naître
10 L'étoile dans l'azur, la lampe à la fenêtre,
Les fleuves de charbon monter au firmament[3]
Et la lune verser son pâle enchantement.
Je verrai les printemps, les étés, les automnes;
Et quand viendra l'hiver aux neiges monotones,
15 Je fermerai partout portières[4] et volets

---

1. Églogues : poésies pastorales de la littérature latine.
2. Mansarde : pièce aménagée sous les combles.
3. Firmament : voûte céleste.
4. Portières : tentures qui ferment l'ouverture d'une porte.

Pour bâtir dans la nuit mes féeriques palais.
Alors je rêverai des horizons bleuâtres,
Des jardins, des jets d'eau pleurant dans les albâtres[1],
Des baisers, des oiseaux chantant soir et matin,
20 Et tout ce que l'Idylle[2] a de plus enfantin.
L'Émeute, tempêtant vainement à ma vitre,
Ne fera pas lever mon front de mon pupitre;
Car je serai plongé dans cette volupté[3]
D'évoquer le Printemps avec ma volonté,
25 De tirer un soleil de mon cœur, et de faire
De mes pensers[4] brûlants une tiède atmosphère.

LXXXVII. – Le Soleil

Le long du vieux faubourg, où pendent aux masures
Les persiennes, abri des secrètes luxures[5],
Quand le soleil cruel frappe à traits redoublés
Sur la ville et les champs, sur les toits et les blés,
5 Je vais m'exercer seul à ma fantasque escrime,
Flairant dans tous les coins les hasards de la rime,
Trébuchant sur les mots comme sur les pavés,
Heurtant parfois des vers depuis longtemps rêvés.

---

1. *Albâtres* : coupes ou vases en albâtre, pierre blanche et tendre comme le plâtre.
2. *Idylle* : genre littéraire naïf et bucolique ayant pour sujet, comme l'églogue, les amours des bergers.
3. *Volupté* : plaisir intense.
4. *Pensers* : archaïsme pour «pensées».
5. *Luxures* : débauches, pratiques des plaisirs sexuels.

Ce père nourricier, ennemi des chloroses[1],
10 Éveille dans les champs les vers comme les roses ;
Il fait s'évaporer les soucis vers le ciel,
Et remplit les cerveaux et les ruches de miel.
C'est lui qui rajeunit les porteurs de béquilles
Et les rend gais et doux comme des jeunes filles,
15 Et commande aux moissons de croître et de mûrir
Dans le cœur immortel qui toujours veut fleurir !

Quand, ainsi qu'un poète, il descend dans les villes,
Il ennoblit le sort des choses les plus viles,
Et s'introduit en roi, sans bruit et sans valets,
20 Dans tous les hôpitaux et dans tous les palais.

LXXXVIII. – À une mendiante rousse

Blanche fille aux cheveux roux,
Dont la robe par ses trous
Laisse voir la pauvreté
4   Et la beauté,

Pour moi, poète chétif[2],
Ton jeune corps maladif,
Plein de taches de rousseur,
8   A sa douceur.

---

1. *Chloroses* : anémies qui se traduisent par une pâleur excessive du teint.
Par effet de mode, cette blancheur maladive était très recherchée des femmes
de l'époque.
2. *Chétif* : fragile, faible.

Tu portes plus galamment
Qu'une reine de roman
Ses cothurnes[1] de velours
12   Tes sabots lourds.

Au lieu d'un haillon[2] trop court,
Qu'un superbe habit de cour
Traîne à plis bruyants et longs
16   Sur tes talons ;

En place de bas troués,
Que pour les yeux des roués[3]
Sur ta jambe un poignard d'or
20   Reluise encor[4] ;

Que des nœuds mal attachés
Dévoilent pour nos péchés
Tes deux beaux seins, radieux
24   Comme des yeux ;

Que pour te déshabiller
Tes bras se fassent prier
Et chassent à coups mutins[5]
28   Les doigts lutins[6],

---

1. *Cothurnes* : lacets, lanières ou rubans servant à attacher une chaussure de femme et montant jusqu'au mollet.
2. *Haillon* : habit usé et misérable.
3. *Roués* : libertins condamnés au supplice de la roue ; par extension, personnes dénuées de principes, notamment dans les rapports amoureux ; débauchés.
4. Élision du *e* final pour des raisons de versification.
5. *Mutins* : insoumis, rebelles.
6. *Lutins* : taquins, s'autorisant des privautés sous le couvert de la plaisanterie ; par extension, qui caressent sensuellement.

Perles de la plus belle eau,
Sonnets de maître Belleau[1]
Par tes galants mis aux fers
            Sans cesse offerts,

Valetaille[2] de rimeurs[3]
Te dédiant leurs primeurs[4]
Et contemplant ton soulier
            Sous l'escalier,

Maint page épris du hasard,
Maint seigneur et maint Ronsard
Épieraient pour le déduit[5],
            Ton frais réduit[6]!

Tu compterais dans tes lits
Plus de baisers que de lis[7]
Et rangerais sous tes lois
            Plus d'un Valois[8]!

– Cependant tu vas gueusant[9]
Quelque vieux débris gisant
Au seuil de quelque Véfour[10]
            De carrefour;

32

36

40

44

48

---

1. *Belleau* : Rémi Belleau, poète de la Pléiade (1528-1577), contemporain de Ronsard et Du Bellay.
2. *Valetaille* : terme péjoratif désignant la société des valets et des domestiques.
3. *Rimeurs* : terme péjoratif désignant les poètes.
4. *Primeurs* : nouveaux poèmes.
5. *Déduit* : plaisir amoureux.
6. *Ton frais réduit* : ton logement misérable et mal chauffé (mais l'expression possède aussi une connotation érotique).
7. *Lis* : fleur blanche, emblème de la monarchie.
8. *Valois* : dynastie de rois de France qui régna de 1328 à 1589.
9. *Gueusant* : demandant l'aumône.
10. *Véfour* : restaurant gastronomique situé en bordure du Palais-Royal à Paris.

Tu vas lorgnant en dessous
Des bijoux de vingt-neuf sous
Dont je ne puis, oh ! pardon !
52   Te faire don.

Va donc, sans autre ornement,
Parfum, perles, diamant,
Que ta maigre nudité,
56   Ô ma beauté !

LXXXIX. – Le Cygne

À Victor Hugo.

I

Andromaque[1], je pense à vous ! Ce petit fleuve,
Pauvre et triste miroir où jadis resplendit
L'immense majesté de vos douleurs de veuve,
4 Ce Simoïs menteur[2] qui par vos pleurs grandit,

---

1. *Andromaque* : héroïne antique, évoquée par Virgile dans l'*Énéide*. Veuve du Troyen Hector, elle fut, à l'issue de la guerre de Troie, emmenée en Grèce comme captive par Pyrrhus, roi d'Épire.
2. *Ce Simoïs menteur* : selon la légende, pour supporter l'exil, Andromaque aurait reconstitué le paysage de sa patrie d'origine, en aménageant une rivière imitant le fleuve Simoïs qui traversait la plaine troyenne.

A fécondé soudain ma mémoire fertile,
Comme je traversais le nouveau Carrousel[1].
Le vieux Paris n'est plus (la forme d'une ville
8 Change plus vite, hélas! que le cœur d'un mortel);

Je ne vois qu'en esprit tout ce camp de baraques,
Ces tas de chapiteaux ébauchés et de fûts[2],
Les herbes, les gros blocs verdis par l'eau des flaques,
12 Et, brillant aux carreaux, le bric-à-brac confus.

Là s'étalait jadis une ménagerie[3];
Là je vis, un matin, à l'heure où sous les cieux
Froids et clairs le Travail s'éveille, où la voirie[4]
16 Pousse un sombre ouragan dans l'air silencieux,

Un cygne qui s'était évadé de sa cage,
Et, de ses pieds palmés frottant le pavé sec,
Sur le sol raboteux[5] traînait son blanc plumage.
20 Près d'un ruisseau sans eau la bête ouvrant le bec

Baignait nerveusement ses ailes dans la poudre[6],
Et disait, le cœur plein de son beau lac natal:
«Eau, quand donc pleuvras-tu? quand tonneras-tu, foudre?»
24 Je vois ce malheureux, mythe étrange et fatal,

---

1. Allusion aux aménagements urbains entrepris entre 1849 et 1852 par le baron Haussmann, entre le Louvre et les Tuileries, sur la place du même nom, où est érigé un arc de triomphe en l'honneur de l'armée napoléonienne.
2. *Fûts* : parties centrales d'une colonne.
3. *Ménagerie* : zoo.
4. *Voirie* : service chargé de l'entretien des voies de communication urbaines et de l'enlèvement des ordures ménagères.
5. *Raboteux* : inégal, caillouteux.
6. *Poudre* : poussière.

Vers le ciel quelquefois, comme l'homme d'Ovide[1],
Vers le ciel ironique et cruellement bleu,
Sur son cou convulsif tendant sa tête avide,
28 Comme s'il adressait des reproches à Dieu !

II

Paris change ! mais rien dans ma mélancolie
N'a bougé ! palais neufs, échafaudages, blocs,
Vieux faubourgs, tout pour moi devient allégorie,
32 Et mes chers souvenirs sont plus lourds que des rocs.

Aussi devant ce Louvre une image m'opprime :
Je pense à mon grand cygne, avec ses gestes fous,
Comme les exilés, ridicule et sublime,
36 Et rongé d'un désir sans trêve ! et puis à vous,

Andromaque, des bras d'un grand époux tombée,
Vil bétail, sous la main du superbe Pyrrhus[2],
Auprès d'un tombeau vide en extase courbée ;
40 Veuve d'Hector, hélas ! et femme d'Hélénus[3] !

Je pense à la négresse, amaigrie et phtisique[4],
Piétinant dans la boue, et cherchant, l'œil hagard
Les cocotiers absents de la superbe Afrique
44 Derrière la muraille immense du brouillard ;

---

1. Allusion à un passage des *Métamorphoses* du poète latin Ovide, où il est dit que l'homme est la seule des créatures vivantes qui marche en levant la tête vers le ciel.
2. *Pyrrhus* : roi grec du IIIe siècle av. J.-C., fils d'Achille ; il fit d'Andromaque sa captive.
3. *Hélénus* : prince troyen, frère d'Hector, qu'Andromaque épousa après la mort de Pyrrhus.
4. *Phtisique* : tuberculeuse.

À quiconque a perdu ce qui ne se retrouve
Jamais, jamais! à ceux qui s'abreuvent de pleurs
Et tettent la Douleur comme une bonne louve[1]!
48 Aux maigres orphelins séchant comme des fleurs!

Ainsi dans la forêt où mon esprit s'exile
Un vieux Souvenir sonne à plein souffle du cor!
Je pense aux matelots oubliés dans une île,
52 Aux captifs, aux vaincus!... à bien d'autres encor[2]!

XC. – Les Sept Vieillards

À Victor Hugo.

Fourmillante cité, cité pleine de rêves,
Où le spectre en plein jour raccroche le passant!
Les mystères partout coulent comme des sèves
4 Dans les canaux étroits du colosse puissant.

Un matin, cependant que dans la triste rue
Les maisons, dont la brume allongeait la hauteur,
Simulaient les deux quais d'une rivière accrue[3],
8 Et que, décor semblable à l'âme de l'acteur,

Un brouillard sale et jaune inondait tout l'espace,
Je suivais, roidissant mes nerfs[4] comme un héros
Et discutant avec mon âme déjà lasse,
12 Le faubourg secoué par les lourds tombereaux[5].

---

1. Allusion au mythe de la louve romaine qui allaita les deux frères orphelins, Romulus et Rémus, fondateurs de Rome.
2. Élision du *e* final pour des raisons de versification.
3. *Accrue* : dont le niveau a augmenté.
4. *Roidissant mes nerfs* : en me faisant violence, en m'exhortant au courage.
5. *Tombereaux* : charrettes formées d'une caisse montée sur deux roues, qu'on décharge en la basculant vers l'arrière.

Tout à coup, un vieillard dont les guenilles[1] jaunes,
Imitaient la couleur de ce ciel pluvieux,
Et dont l'aspect aurait fait pleuvoir les aumônes,
16 Sans la méchanceté qui luisait dans ses yeux,

M'apparut. On eût dit sa prunelle trempée
Dans le fiel[2] ; son regard aiguisait les frimas[3],
Et sa barbe à longs poils, roide[4] comme une épée,
20 Se projetait, pareille à celle de Judas[5].

Il n'était pas voûté, mais cassé, son échine[6]
Faisant avec sa jambe un parfait angle droit,
Si bien que son bâton, parachevant sa mine,
24 Lui donnait la tournure et le pas maladroit

D'un quadrupède infirme ou d'un juif à trois pattes.
Dans la neige et la boue il allait s'empêtrant,
Comme s'il écrasait des morts sous ses savates,
28 Hostile à l'univers plutôt qu'indifférent.

Son pareil le suivait : barbe, œil, dos, bâton, loques,
Nul trait ne distinguait, du même enfer venu,
Ce jumeau centenaire, et ces spectres baroques[7]
32 Marchaient du même pas vers un but inconnu.

---

1. *Guenilles* : vêtements déchirés et misérables.
2. *Fiel* : bile, amertume, méchanceté.
3. *Frimas* : brouillards froids et épais qui forment du givre.
4. *Roide* : qui manque de souplesse, raide.
5. *Judas* : apôtre du Christ, qui livra ce dernier aux grands prêtres de Jérusalem, pour trente pièces d'argent.
6. *Échine* : dos.
7. *Baroques* : ici, bizarres, excentriques, fantastiques.

À quel complot infâme étais-je donc en butte,
Ou quel méchant hasard ainsi m'humiliait ?
Car je comptai sept fois, de minute en minute,
36 Ce sinistre vieillard qui se multipliait !

Que celui-là qui rit de mon inquiétude,
Et qui n'est pas saisi d'un frisson fraternel,
Songe bien que malgré tant de décrépitude
40 Ces sept monstres hideux avaient l'air éternel !

Aurais-je, sans mourir, contemplé le huitième,
Sosie inexorable, ironique et fatal,
Dégoûtant Phénix[1], fils et père de lui-même ?
44 – Mais je tournai le dos au cortège infernal.

Exaspéré comme un ivrogne qui voit double,
Je rentrai, je fermai ma porte, épouvanté,
Malade et morfondu, l'esprit fiévreux et trouble,
48 Blessé par le mystère et par l'absurdité !

Vainement ma raison voulait prendre la barre ;
La tempête en jouant déroutait ses efforts,
Et mon âme dansait, dansait, vieille gabarre[2]
52 Sans mâts, sur une mer monstrueuse et sans bords !

---

1. Phénix : dans l'Antiquité gréco-romaine, oiseau fabuleux doué de longé-
vité et caractérisé par son pouvoir de renaître après s'être consumé sous l'effet
de sa propre chaleur.
2. Gabarre : barque à fond plat, conçue pour le transport des marchandises
sur les rivières et dans les ports.

XCI. – Les Petites Vieilles

I

Dans les plis sinueux des vieilles capitales,
Où tout, même l'horreur, tourne aux enchantements,
Je guette, obéissant à mes humeurs fatales,
4   Des êtres singuliers, décrépits et charmants.

Ces monstres disloqués furent jadis des femmes,
Éponine[1] ou Laïs[2]! Monstres brisés, bossus
Ou tordus, aimons-les! ce sont encor[3] des âmes.
8   Sous des jupons troués et sous de froids tissus

Ils rampent, flagellés par les bises iniques[4],
Frémissant au fracas roulant des omnibus,
Et serrant sur leur flanc, ainsi que des reliques[5],
12   Un petit sac brodé de fleurs ou de rébus ;

---

1. *Éponine* : emblème de courage et de fidélité conjugale, cette héroïne gauloise (1er siècle), femme de Sabinus, refusa de survivre à son mari lorsque celui-ci fut condamné à mort par l'empereur Vespasien pour avoir fomenté un complot contre les Romains.
2. *Laïs* : nom d'une courtisane célèbre de l'Antiquité grecque.
3. Élision du *e* final pour des raisons de versification.
4. *Iniques* : injustes.
5. *Reliques* : restes du corps d'un martyr ou d'un saint conservés pour être vénérés.

174 Les Fleurs du mal

Ils trottent, tout pareils à des marionnettes;
Se traînent, comme font les animaux blessés,
Ou dansent, sans vouloir danser, pauvres sonnettes
16   Où se pend un Démon sans pitié! Tout cassés

Qu'ils sont, ils ont des yeux perçants comme une vrille,
Luisants comme ces trous où l'eau dort dans la nuit;
Ils ont les yeux divins de la petite fille
20   Qui s'étonne et qui rit à tout ce qui reluit.

– Avez-vous observé que maints cercueils de vieilles
Sont presque aussi petits que celui d'un enfant?
La Mort savante met dans ces bières[1] pareilles
24   Un symbole d'un goût bizarre et captivant,

Et lorsque j'entrevois un fantôme débile[2]
Traversant de Paris le fourmillant tableau,
Il me semble toujours que cet être fragile
28   S'en va tout doucement vers un nouveau berceau;

À moins que, méditant sur la géométrie,
Je ne cherche, à l'aspect de ces membres discords[3],
Combien de fois il faut que l'ouvrier varie
32   La forme de la boîte où l'on met tous ces corps.

– Ces yeux sont des puits faits d'un million de larmes,
Des creusets[4] qu'un métal refroidi pailleta...
Ces yeux mystérieux ont d'invincibles charmes
36   Pour celui que l'austère Infortune allaita!

---

1. Bières : cercueils.
2. Débile : faible.
3. Discords : désaccordés, disloqués.
4. Creusets : récipients utilisés en chimie ou dans l'industrie pour faire fondre des minerais.

De Frascati[1] défunt Vestale[2] enamourée ;
Prêtresse de Thalie[3], hélas ! dont le souffleur
Enterré sait le nom ; célèbre évaporée
40 Que Tivoli[4] jadis ombragea dans sa fleur,

Toutes m'enivrent ; mais parmi ces êtres frêles
Il en est qui, faisant de la douleur un miel,
Ont dit au Dévouement qui leur prêtait ses ailes :
44 Hippogriffe[5] puissant, mène-moi jusqu'au ciel !

L'une, par sa patrie au malheur exercée,
L'autre, que son époux surchargea de douleurs,
L'autre, par son enfant Madone transpercée,
48 Toutes auraient pu faire un fleuve avec leurs pleurs !

III

Ah ! que j'en ai suivi de ces petites vieilles !
Une, entre autres, à l'heure où le soleil tombant
Ensanglante le ciel de blessures vermeilles[6],
52 Pensive, s'asseyait à l'écart sur un banc,

---

1. *Frascati* : nom d'un établissement parisien de jeu doté d'une salle de bal, qui ferma ses portes en 1836.
2. *Vestale* : prêtresse romaine qui, pour honorer le culte de Vesta, devait rester vierge et entretenir le feu sacré dans le temple.
3. *Prêtresse de Thalie* : Thalie est la muse de la Comédie dans la mythologie grecque ; la périphrase désigne une comédienne.
4. *Tivoli* : lieu de plaisir hérité du Directoire, situé sur les Grands Boulevards, où l'on venait pour un spectacle ou pour une rencontre coquine.
5. *Hippogriffe* : animal fabuleux, mi-cheval mi-griffon (le griffon étant lui-même un lion à tête d'aigle muni de griffes puissantes).
6. *Vermeilles* : d'un rouge doré.

Pour entendre un de ces concerts, riches de cuivre,
Dont les soldats parfois inondent nos jardins,
Et qui, dans ces soirs d'or où l'on se sent revivre,
56   Versent quelque héroïsme au cœur des citadins.

Celle-là, droite encor, fière et sentant la règle,
Humait avidement ce chant vif et guerrier ;
Son œil parfois s'ouvrait comme l'œil d'un vieil aigle ;
60   Son front de marbre avait l'air fait pour le laurier !

IV

Telles vous cheminez, stoïques[1] et sans plaintes,
À travers le chaos des vivantes cités,
Mères au cœur saignant, courtisanes ou saintes,
64   Dont autrefois les noms par tous étaient cités.

Vous qui fûtes la grâce ou qui fûtes la gloire,
Nul ne vous reconnaît ! un ivrogne incivil[2]
Vous insulte en passant d'un amour dérisoire ;
68   Sur vos talons gambade un enfant lâche et vil.

Honteuses d'exister, ombres ratatinées,
Peureuses, le dos bas, vous côtoyez les murs ;
Et nul ne vous salue, étranges destinées !
72   Débris d'humanité pour l'éternité mûrs !

---

1. *Stoïques* : inébranlables.
2. *Incivil* : impoli.

Mais moi, moi qui de loin tendrement vous surveille,
L'œil inquiet, fixé sur vos pas incertains,
Tout comme si j'étais votre père, ô merveille !
76 Je goûte à votre insu des plaisirs clandestins :

Je vois s'épanouir vos passions novices ;
Sombres ou lumineux, je vis vos jours perdus ;
Mon cœur multiplié jouit de tous vos vices !
80 Mon âme resplendit de toutes vos vertus !

Ruines ! ma famille ! ô cerveaux congénères !
Je vous fais chaque soir un solennel adieu !
Où serez-vous demain, Èves octogénaires,
84 Sur qui pèse la griffe effroyable de Dieu ?

XCII. – Les Aveugles

Contemple-les, mon âme ; ils sont vraiment affreux !
Pareils aux mannequins ; vaguement ridicules ;
Terribles, singuliers comme les somnambules ;
4 Dardant[1] on ne sait où leurs globes ténébreux.

Leurs yeux, d'où la divine étincelle est partie,
Comme s'ils regardaient au loin, restent levés
Au ciel ; on ne les voit jamais vers les pavés
8 Pencher rêveusement leur tête appesantie.

Ils traversent ainsi le noir illimité,
Ce frère du silence éternel. Ô cité !
11 Pendant qu'autour de nous tu chantes, ris et beugles,

---

1. *Dardant* : projetant.

Éprise du plaisir jusqu'à l'atrocité,
Vois! je me traîne aussi! mais, plus qu'eux hébété,
14 Je dis : Que cherchent-ils au Ciel, tous ces aveugles?

XCIII. – À une passante

La rue assourdissante autour de moi hurlait.
Longue, mince, en grand deuil, douleur majestueuse,
Une femme passa, d'une main fastueuse
4 Soulevant, balançant le feston[1] et l'ourlet;

Agile et noble, avec sa jambe de statue.
Moi, je buvais, crispé comme un extravagant,
Dans son œil, ciel livide[2] où germe l'ouragan,
8 La douceur qui fascine et le plaisir qui tue.

Un éclair… puis la nuit! – Fugitive beauté
Dont le regard m'a fait soudainement renaître,
11 Ne te verrai-je plus que dans l'éternité?

Ailleurs, bien loin d'ici! trop tard! *jamais* peut-être!
Car j'ignore où tu fuis, tu ne sais où je vais,
14 Ô toi que j'eusse aimée, ô toi qui le savais!

---

1. *Feston* : broderie.
2. *Livide* : pâle, blafard.

XCIV. – Le Squelette laboureur

I

Dans les planches d'anatomie
Qui traînent sur ces quais poudreux[1]
Où maint livre cadavéreux[2]
4   Dort comme une antique momie,

Dessins auxquels la gravité
Et le savoir d'un vieil artiste,
Bien que le sujet en soit triste,
8   Ont communiqué la Beauté,

On voit, ce qui rend plus complètes
Ces mystérieuses horreurs,
Bêchant comme des laboureurs,
12   Des Écorchés et des Squelettes.

II

De ce terrain que vous fouillez,
Manants[3] résignés et funèbres,
De tout l'effort de vos vertèbres,
16   Ou de vos muscles dépouillés,

---

1. *Poudreux* : recouverts de poussière.
2. *Cadavéreux* : propre à un cadavre.
3. *Manants* : ici, sens archaïque de paysans.

Dites, quelle moisson étrange,
Forçats[1] arrachés au charnier,
Tirez-vous, et de quel fermier
Avez-vous à remplir la grange ?

20

Voulez-vous (d'un destin trop dur
Épouvantable et clair emblème[2] !)
Montrer que dans la fosse même
Le sommeil promis n'est pas sûr ;

24

Qu'envers nous le Néant est traître ;
Que tout, même la Mort, nous ment,
Et que sempiternellement,
Hélas ! il nous faudra peut-être

28

Dans quelque pays inconnu
Écorcher la terre revêche[3]
Et pousser une lourde bêche
Sous notre pied sanglant et nu ?

32

XCV. – Le Crépuscule du soir

Voici le soir charmant, ami du criminel ;
Il vient comme un complice, à pas de loup ; le ciel
Se ferme lentement comme une grande alcôve[4],
Et l'homme impatient se change en bête fauve.

---

1. *Forçats* : criminels condamnés aux travaux forcés.
2. *Emblème* : représentation symbolique d'une idée abstraite par une image concrète.
3. *Revêche* : rude, difficile à travailler.
4. *Alcôve* : lieu secret des amours.

5 Ô soir, aimable soir, désiré par celui
Dont les bras, sans mentir, peuvent dire : Aujourd'hui
Nous avons travaillé ! – C'est le soir qui soulage
Les esprits que dévore une douleur sauvage,
Le savant obstiné dont le front s'alourdit,
10 Et l'ouvrier courbé qui regagne son lit.
Cependant des démons malsains dans l'atmosphère
S'éveillent lourdement, comme des gens d'affaire,
Et cognent en volant les volets et l'auvent[1].
À travers les lueurs que tourmente le vent
15 La Prostitution s'allume dans les rues ;
Comme une fourmilière elle ouvre ses issues ;
Partout elle se fraye un occulte[2] chemin,
Ainsi que l'ennemi qui tente un coup de main ;
Elle remue au sein de la cité de fange[3]
20 Comme un ver qui dérobe à l'Homme ce qu'il mange.
On entend çà et là les cuisines siffler,
Les théâtres glapir[4], les orchestres ronfler ;
Les tables d'hôte, dont le jeu fait les délices,
S'emplissent de catins[5] et d'escrocs, leurs complices,
25 Et les voleurs, qui n'ont ni trêve ni merci,
Vont bientôt commencer leur travail, eux aussi,
Et forcer doucement les portes et les caisses
Pour vivre quelques jours et vêtir leurs maîtresses.

Recueille-toi, mon âme, en ce grave moment,
30 Et ferme ton oreille à ce rugissement.

---

1. *Auvent* : toit aménagé au-dessus d'une porte pour protéger de la pluie.
2. *Occulte* : dissimulé, secret.
3. *Fange* : au sens propre, boue épaisse ; au sens figuré, déchéance morale, abjection.
4. *Glapir* : japper, pousser des cris brefs et précipités.
5. *Catins* : prostituées.

C'est l'heure où les douleurs des malades s'aigrissent[1] !
La sombre Nuit les prend à la gorge ; ils finissent
Leur destinée et vont vers le gouffre commun ;
L'hôpital se remplit de leurs soupirs. – Plus d'un
35 Ne viendra plus chercher la soupe parfumée,
Au coin du feu, le soir, auprès d'une âme aimée.

Encore la plupart n'ont-ils jamais connu
La douceur du foyer et n'ont jamais vécu !

XCVI. – Le Jeu

Dans des fauteuils fanés des courtisanes vieilles,
Pâles, le sourcil peint, l'œil câlin et fatal,
Minaudant[2], et faisant de leurs maigres oreilles
4 Tomber un cliquetis de pierre et de métal ;

Autour des verts tapis des visages sans lèvre,
Des lèvres sans couleur, des mâchoires sans dent,
Et des doigts convulsés d'une infernale fièvre,
8 Fouillant la poche vide ou le sein palpitant ;

Sous de sales plafonds un rang de pâles lustres
Et d'énormes quinquets[3] projetant leurs lueurs
Sur des fronts ténébreux de poètes illustres
12 Qui viennent gaspiller leurs sanglantes sueurs ;

---

1. *S'aigrissent* : deviennent plus violentes.
2. *Minaudant* : prenant des airs affectés, faisant des manières, pour séduire.
3. *Quinquets* : lampes à huile.

Voilà le noir tableau qu'en un rêve nocturne
Je vis se dérouler sous mon œil clairvoyant.
Moi-même, dans un coin de l'antre taciturne[1],
16   Je me vis accoudé, froid, muet, enviant,

Enviant de ces gens la passion tenace,
De ces vieilles putains la funèbre gaieté,
Et tous gaillardement trafiquant à ma face,
20   L'un de son vieil honneur, l'autre de sa beauté !

Et mon cœur s'effraya d'envier maint pauvre homme
Courant avec ferveur à l'abîme[2] béant[3],
Et qui, soûl de son sang, préférerait en somme
24   La douleur à la mort et l'enfer au néant !

XCVII. – Danse macabre

À Ernest Christophe.

Fière, autant qu'un vivant, de sa noble stature,
Avec son gros bouquet, son mouchoir et ses gants,
Elle a la nonchalance et la désinvolture
4   D'une coquette maigre aux airs extravagants.

Vit-on jamais au bal une taille plus mince ?
Sa robe exagérée, en sa royale ampleur,
S'écroule abondamment sur un pied sec que pince
8   Un soulier pomponné[4], joli comme une fleur.

---

1. *Taciturne* : silencieux.
2. *Abîme* : ici, sens figuré, profondeur insondable, gouffre.
3. *Béant* : grand ouvert.
4. *Pomponné* : paré de pompons.

La ruche[1] qui se joue au bord des clavicules,
Comme un ruisseau lascif[2] qui se frotte au rocher,
Défend pudiquement des lazzi[3] ridicules
12   Les funèbres appas[4] qu'elle tient à cacher.

Ses yeux profonds sont faits de vide et de ténèbres,
Et son crâne, de fleurs artistement coiffé,
Oscille mollement sur ses frêles vertèbres.
16   Ô charme d'un néant follement attifé[5].

Aucuns[6] t'appelleront une caricature,
Qui ne comprennent pas, amants ivres de chair,
L'élégance sans nom de l'humaine armature.
20   Tu réponds, grand squelette, à mon goût le plus cher !

Viens-tu troubler, avec ta puissante grimace,
La fête de la Vie ? ou quelque vieux désir,
Éperonnant encor[7] ta vivante carcasse,
24   Te pousse-t-il, crédule, au sabbat[8] du Plaisir ?

Au chant des violons, aux flammes des bougies,
Espères-tu chasser ton cauchemar moqueur,
Et viens-tu demander au torrent des orgies
28   De rafraîchir l'enfer allumé dans ton cœur ?

---

1. Ruche : bande d'étoffe plissée ou froncée qui décore un corsage.
2. Lascif : sensuel, voluptueux.
3. Lazzi : mot italien qui désigne des propos moqueurs, des plaisanteries, des quolibets, spécialement au théâtre.
4. Appas : attraits, charmes qui excitent le désir et suscitent la convoitise (orthographe moderne : appâts).
5. Attifé : habillé avec mauvais goût.
6. Aucuns : d'aucuns, quelques-uns, certains.
7. Élision du *e* final pour des raisons de versification.
8. Sabbat : sens familier, réunion bruyante, orgie.

Inépuisable puits de sottise et de fautes !
De l'antique douleur éternel alambic[1] !
À travers le treillis[2] recourbé de tes côtes
32 Je vois, errant encor, l'insatiable aspic[3].

Pour dire vrai, je crains que ta coquetterie
Ne trouve pas un prix digne de ses efforts ;
Qui, de ces cœurs mortels, entend la raillerie ?
36 Les charmes de l'horreur n'enivrent que les forts !

Le gouffre de tes yeux, plein d'horribles pensées,
Exhale le vertige, et les danseurs prudents
Ne contempleront pas sans d'amères nausées
40 Le sourire éternel de tes trente-deux dents.

Pourtant, qui n'a serré dans ses bras un squelette,
Et qui ne s'est nourri des choses du tombeau ?
Qu'importe le parfum, l'habit ou la toilette ?
44 Qui fait le dégoûté montre qu'il se croit beau.

Bayadère[4] sans nez, irrésistible gouge,
Dis donc à ces danseurs qui font les offusqués :
« Fiers mignons[5], malgré l'art des poudres et du rouge,
48 Vous sentez tous la mort ! Ô squelettes musqués[6],

---

1. *Alambic* : appareil servant à distiller l'alcool.
2. *Treillis* : enchevêtrement, entrelacement.
3. *Aspic* : vipère très venimeuse.
4. *Bayadère* : danseuse sacrée hindoue.
5. *Mignons* : jeunes homosexuels, par allusion aux favoris efféminés d'Henri III.
6. *Musqués* : parfumés au musc, parfum très pénétrant obtenu à partir d'une substance brune ayant la consistance du miel et extraite des glandes abdominales de cervidés d'Asie.

Antinoüs[1] flétris, dandys[2] à face glabre[3],
Cadavres vernissés[4], lovelaces[5] chenus[6],
Le branle[7] universel de la danse macabre
52 Vous entraîne en des lieux qui ne sont pas connus !

Des quais froids de la Seine aux bords brûlants du Gange[8],
Le troupeau mortel saute et se pâme[9], sans voir
Dans un trou du plafond la trompette de l'Ange
56 Sinistrement béante[10] ainsi qu'un tromblon[11] noir.

En tout climat, sous tout soleil, la Mort t'admire
En tes contorsions[12], risible Humanité,
Et souvent, comme toi, se parfumant de myrrhe[13],
60 Mêle son ironie à ton insanité[14] ! »

---

1. **Antinoüs** : jeune Grec d'une beauté parfaite qui fut le favori de l'empereur romain Hadrien.
2. **Dandys** : hommes dont l'élégance recherchée confine à l'anticonformisme et à l'affectation.
3. **Glabre** : sans poils.
4. **Vernissés** : enduits de vernis.
5. **Lovelace** : héros séducteur et cynique d'un roman anglais de Richardson, *Clarissa Harlowe* (1748).
6. **Chenus** : aux cheveux blanchis par l'âge.
7. **Branle** : mouvement.
8. **Gange** : fleuve d'Inde.
9. **Se pâme** : est transporté de ravissement.
10. **Béante** : grande ouverte.
11. **Tromblon** : arme à feu, à canon évasé.
12. **Contorsions** : convulsions.
13. **Myrrhe** : parfum oriental, offert à Jésus par les Rois mages avec l'encens et l'or.
14. **Insanité** : folie.

XCVIII. – L'Amour du mensonge

Quand je te vois passer, ô ma chère indolente[1],
Au chant des instruments qui se brise au plafond
Suspendant ton allure harmonieuse et lente,
4 Et promenant l'ennui de ton regard profond ;

Quand je contemple, aux feux du gaz qui le colore,
Ton front pâle, embelli par un morbide attrait,
Où les torches du soir allument une aurore,
8 Et tes yeux attirants comme ceux d'un portrait,

Je me dis : Qu'elle est belle ! et bizarrement fraîche !
Le souvenir massif, royale et lourde tour,
La couronne, et son cœur, meurtri comme une pêche
12 Est mûr, comme son corps, pour le savant amour.

Es-tu le fruit d'automne aux saveurs souveraines ?
Es-tu vase funèbre attendant quelques pleurs,
Parfum qui fait rêver aux oasis lointaines,
16 Oreiller caressant, ou corbeille de fleurs ?

Je sais qu'il est des yeux, des plus mélancoliques,
Qui ne recèlent point de secrets précieux ;
Beaux écrins[2] sans joyaux, médaillons sans reliques[3],
20 Plus vides, plus profonds que vous-mêmes, ô Cieux !

---

1. *Indolente* : proche du sens étymologique (du latin *indolens*, «qui ne souffre pas, qui n'est pas sensible à la douleur»), indifférente, insensible.
2. *Écrins* : coffrets contenant un ou plusieurs bijoux.
3. *Reliques* : restes du corps d'un martyr ou d'un saint conservés pour être vénérés.

Mais ne suffit-il pas que tu sois l'apparence,
Pour réjouir un cœur qui fuit la vérité ?
Qu'importe ta bêtise ou ton indifférence ?
24   Masque ou décor, salut ! J'adore ta beauté.

XCIX

Je n'ai pas oublié, voisine de la ville,
Notre blanche maison, petite mais tranquille ;
Sa Pomone[1] de plâtre et sa vieille Vénus[2]
Dans un bosquet chétif[3] cachant leurs membres nus,
5 Et le soleil, le soir, ruisselant et superbe,
Qui, derrière la vitre où se brisait sa gerbe,
Semblait, grand œil ouvert dans le ciel curieux,
Contempler nos dîners longs et silencieux,
Répandant largement ses beaux reflets de cierge
10 Sur la nappe frugale[4] et les rideaux de serge[5]

C

La servante au grand cœur dont vous étiez jalouse,
Et qui dort son sommeil sous une humble pelouse,
Nous devrions pourtant lui porter quelques fleurs.

---

1. *Pomone* : divinité romaine des fruits et des jardins.
2. *Vénus* : statue figurant la déesse romaine de l'Amour et, par extension, femme répondant aux canons de la beauté classique.
3. *Chétif* : fragile, faible.
4. *Frugale* : très simple.
5. *Serge* : étoffe grossière en laine.

Les morts, les pauvres morts, ont de grandes douleurs,
5 Et quand Octobre souffle, émondeur[1] des vieux arbres,
Son vent mélancolique à l'entour de leurs marbres,
Certe[2], ils doivent trouver les vivants bien ingrats,
À dormir, comme ils font, chaudement dans leurs draps,
Tandis que, dévorés de noires songeries,
10 Sans compagnon de lit, sans bonne causeries,
Vieux squelettes gelés travaillés par le ver,
Ils sentent s'égoutter les neiges de l'hiver
Et le siècle couler, sans qu'amis ni famille
Remplacent les lambeaux qui pendent à leur grille.

15 Lorsque la bûche siffle et chante, si le soir,
Calme, dans le fauteuil je la voyais s'asseoir,
Si, par une nuit bleue et froide de décembre,
Je la trouvais tapie en un coin de ma chambre,
Grave, et venant du fond de son lit éternel
20 Couver l'enfant grandi de son œil maternel,
Que pourrais-je répondre à cette âme pieuse,
Voyant tomber des pleurs de sa paupière creuse ?

CI. – Brumes et pluies

Ô fins d'automne, hivers, printemps trempés de boue,
Endormeuses saisons ! je vous aime et vous loue
D'envelopper ainsi mon cœur et mon cerveau
4 D'un linceul[3] vaporeux et d'un vague tombeau.

---

1. *Émondeur* : personne qui débarrasse les arbres de leurs branches mortes
et des rameaux inutiles qui risquent de les déséquilibrer.
2. *Certe* : licence poétique pour « certes ».
3. *Linceul* : toile dans laquelle on ensevelit un mort.

Dans cette grande plaine où l'autan[1] froid se joue,
Où par les longues nuits la girouette s'enroue,
Mon âme mieux qu'au temps du tiède renouveau
8 Ouvrira largement ses ailes de corbeau.

Rien n'est plus doux au cœur plein de choses funèbres,
Et sur qui dès longtemps descendent les frimas[2],
11 Ô blafardes saisons, reines de nos climats,

Que l'aspect permanent de vos pâles ténèbres,
  – Si ce n'est, par un soir sans lune, deux à deux,
14 D'endormir la douleur sur un lit hasardeux.

CII. – Rêve parisien

À Constantin Guys.

I

De ce terrible paysage,
Tel que jamais mortel n'en vit,
Ce matin encore l'image,
4 Vague et lointaine, me ravit.

---

1. *Autan* : vent violent qui vient de la haute mer.
2. *Frimas* : brouillards froids et épais qui forment du givre.

Le sommeil est plein de miracles !
Par un caprice singulier,
J'avais banni de ces spectacles
8   Le végétal irrégulier,

Et, peintre fier de mon génie,
Je savourais dans mon tableau
L'enivrante monotonie
12   Du métal, du marbre et de l'eau.

Babel[1] d'escaliers et d'arcades,
C'était un palais infini,
Plein de bassins et de cascades
16   Tombant dans l'or mat ou bruni ;

Et des cataractes[2] pesantes,
Comme des rideaux de cristal,
Se suspendaient, éblouissantes,
20   À des murailles de métal.

Non d'arbres, mais de colonnades
Les étangs dormants s'entouraient,
Où de gigantesques naïades[3],
24   Comme des femmes, se miraient.

Des nappes d'eau s'épanchaient, bleues,
Entre des quais roses et verts,
Pendant des millions de lieues[4],
28   Vers les confins de l'univers ;

---

1. *Babel* : construction démesurée, par allusion à la tour de Babel, bâtie dans la Bible par les descendants de Noé dans le but d'atteindre le ciel.
2. *Cataractes* : chutes d'eau remarquables par leur hauteur, leur bruit et leur débit.
3. *Naïades* : divinités des rivières.
4. La *lieue* est une ancienne unité de distance valant environ quatre kilomètres.

C'étaient des pierres inouïes
Et des flots magiques ; c'étaient
D'immenses glaces éblouies
Par tout ce qu'elles reflétaient !

32

Insouciants et taciturnes[1],
Des Ganges[2], dans le firmament[3],
Versaient le trésor de leurs urnes
Dans des gouffres de diamant.

36

Architecte de mes féeries,
Je faisais, à ma volonté,
Sous un tunnel de pierreries
Passer un océan dompté ;

40

Et tout, même la couleur noire,
Semblait fourbi[4], clair, irisé ;
Le liquide enchâssait[5] sa gloire
Dans le rayon cristallisé.

44

Nul astre d'ailleurs, nuls vestiges
De soleil, même au bas du ciel,
Pour illuminer ces prodiges,
Qui brillaient d'un feu personnel !

48

Et sur ces mouvantes merveilles
Planait (terrible nouveauté !
Tout pour l'œil, rien pour les oreilles !)
Un silence d'éternité.

52

---

1. *Taciturnes* : silencieux.
2. Le *Gange* est un fleuve de l'Inde.
3. *Firmament* : voûte céleste.
4. *Fourbi* : astiqué, reluisant.
5. *Enchâssait* : intercalait, sertissait, encastrait.

II

En rouvrant mes yeux pleins de flamme
J'ai vu l'horreur de mon taudis,
Et senti, rentrant dans mon âme,
56   La pointe des soucis maudits ;

La pendule aux accents funèbres
Sonnait brutalement midi,
Et le ciel versait des ténèbres
60   Sur le triste monde engourdi.

CIII. – Le Crépuscule du matin

La diane[1] chantait dans les cours des casernes,
Et le vent du matin soufflait sur les lanternes.

C'était l'heure où l'essaim des rêves malfaisants
Tord sur leurs oreillers les bruns adolescents ;
5   Où, comme un œil sanglant qui palpite et qui bouge,
La lampe sur le jour fait une tache rouge ;
Où l'âme, sous le poids du corps revêche[2] et lourd,
Imite les combats de la lampe et du jour.
Comme un visage en pleurs que les brises essuient,
10 L'air est plein du frisson des choses qui s'enfuient,
Et l'homme est las d'écrire et la femme d'aimer.

---

1. Diane : batterie de tambour qui retentit au lever du jour pour réveiller les soldats, les marins.
2. Revêche : ici en parlant d'une personne, d'un abord difficile, peu accommodant.

Les maisons çà et là commençaient à fumer.
Les femmes de plaisir, la paupière livide[1],
Bouche ouverte, dormaient de leur sommeil stupide ;
15 Les pauvresses, traînant leurs seins maigres et froids,
Soufflaient sur leurs tisons[2] et soufflaient sur leurs doigts.
C'était l'heure où parmi le froid et la lésine[3]
S'aggravent les douleurs des femmes en gésine[4] ;
Comme un sanglot coupé par un sang écumeux
20 Le chant du coq au loin déchirait l'air brumeux ;
Une mer de brouillards baignait les édifices,
Et les agonisants dans le fond des hospices
Poussaient leur dernier râle[5] en hoquets inégaux.
Les débauchés rentraient, brisés par leurs travaux.

25 L'aurore grelottante en robe rose et verte
S'avançait lentement sur la Seine déserte,
Et le sombre Paris, en se frottant les yeux,
Empoignait ses outils, vieillard laborieux.

_____

1. *Livide* : pâle, blafarde.
2. *Tisons* : restes de bois, de bûches dont une partie a brûlé.
3. *Lésine* : avarice extrême.
4. *En gésine* : en train d'accoucher.
5. *Râle* : respiration rauque des moribonds.

— Dire qu'il y a des gens qui boivent de l'absinthe dans un pays qui produit de si bon vin que ça!

■ Estampe d'Honoré Daumier (1808-1879) issue des *Croquis parisiens* pour le *Journal amusant*.

Le Vin

CIV. – L'Âme du vin

Un soir, l'âme du vin chantait dans les bouteilles :
«Homme, vers toi je pousse, ô cher déshérité,
Sous ma prison de verre et mes cires vermeilles[1],
4   Un chant plein de lumière et de fraternité !

Je sais combien il faut, sur la colline en flamme,
De peine, de sueur et de soleil cuisant
Pour engendrer ma vie et pour me donner l'âme ;
8   Mais je ne serai point ingrat ni malfaisant,

Car j'éprouve une joie immense quand je tombe
Dans le gosier d'un homme usé par ses travaux,
Et sa chaude poitrine est une douce tombe
12   Où je me plais bien mieux que dans mes froids caveaux.

Entends-tu retentir les refrains des dimanches
Et l'espoir qui gazouille en mon sein palpitant ?
Les coudes sur la table et retroussant tes manches,
16   Tu me glorifieras et tu seras content ;

---

1. *Cires vermeilles* : ici, cachets de cire rouge qui recouvrent les bouchons
des bouteilles de vin.

J'allumerai les yeux de ta femme ravie;
À ton fils je rendrai sa force et ses couleurs
Et serai pour ce frêle athlète de la vie
20 L'huile qui raffermit les muscles des lutteurs.

En toi je tomberai, végétale ambroisie[1],
Grain précieux jeté par l'éternel Semeur,
Pour que de notre amour naisse la poésie
24 Qui jaillira vers Dieu comme une rare fleur!»

CV. – Le Vin des chiffonniers

Souvent, à la clarté rouge d'un réverbère
Dont le vent bat la flamme et tourmente le verre,
Au cœur d'un vieux faubourg, labyrinthe fangeux[2]
4 Où l'humanité grouille en ferments orageux,

On voit un chiffonnier[3] qui vient, hochant la tête,
Buttant, et se cognant aux murs comme un poète,
Et, sans prendre souci des mouchards[4], ses sujets,
8 Épanche tout son cœur en glorieux projets.

Il prête des serments, dicte des lois sublimes,
Terrasse les méchants, relève les victimes,

---

1. *Ambroisie* : dans la mythologie grecque, nourriture des dieux.
2. *Fangeux* : au sens propre, boueux; au sens figuré, abject, souillé.
3. *Chiffonnier* : personne qui ramasse les vieux chiffons et les objets abandonnés dans les rues pour en faire commerce.
4. *Mouchards* : indicateurs, espions de la police.

Et sous le firmament[1] comme un dais[2] suspendu
12 S'enivre des splendeurs de sa propre vertu.

Oui, ces gens harcelés de chagrins de ménage,
Moulus[3] par le travail et tourmentés par l'âge,
Éreintés et pliant sous un tas de débris,
16 Vomissement confus de l'énorme Paris,

Reviennent, parfumés d'une odeur de futailles[4],
Suivis de compagnons, blanchis dans les batailles,
Dont la moustache pend comme les vieux drapeaux.
20 Les bannières, les fleurs et les arcs triomphaux

Se dressent devant eux, solennelle magie !
Et dans l'étourdissante et lumineuse orgie
Des clairons, du soleil, des cris et du tambour,
24 Ils apportent la gloire au peuple ivre d'amour !

C'est ainsi qu'à travers l'Humanité frivole
Le vin roule de l'or, éblouissant Pactole[5] ;
Par le gosier de l'homme il chante ses exploits
28 Et règne par ses dons ainsi que les vrais rois.

Pour noyer la rancœur et bercer l'indolence[6]
De tous ces vieux maudits qui meurent en silence,
Dieu, touché de remords, avait fait le sommeil ;
32 L'Homme ajouta le Vin, fils sacré du Soleil !

---

1. Firmament : voûte céleste.
2. Dais : tenture qui surmonte un autel ou un trône.
3. Moulus : fatigués.
4. Futailles : tonneaux, barriques contenant du vin.
5. Pactole : dans l'Antiquité grecque, nom d'une rivière connue pour charrier des paillettes d'or. C'est le roi Midas qui, en s'y lavant les mains, s'y serait débarrassé de son don de transformer tout ce qu'il touchait en or (voir note 5, p.154).
6. Indolence : sens moderne de nonchalance, langueur, inertie.

CVI. – Le Vin de l'assassin

Ma femme est morte, je suis libre !
Je puis donc boire tout mon soûl.
Lorsque je rentrais sans un sou,
4   Ses cris me déchiraient la fibre[1].

Autant qu'un roi je suis heureux ;
L'air est pur, le ciel admirable…
Nous avions un été semblable
8   Lorsque j'en devins amoureux !

L'horrible soif qui me déchire
Aurait besoin pour s'assouvir
D'autant de vin qu'en peut tenir
12   Son tombeau ; – ce n'est pas peu dire :

Je l'ai jetée au fond d'un puits,
Et j'ai même poussé sur elle
Tous les pavés de la margelle[2].
16   – Je l'oublierai si je le puis !

Au nom des serments de tendresse,
Dont rien ne peut nous délier,
Et pour nous réconcilier
20   Comme au beau temps de notre ivresse,

J'implorai d'elle un rendez-vous,
Le soir, sur une route obscure.
Elle y vint ! – folle créature !
24   Nous sommes tous plus ou moins fous !

1. Fibre : au sens figuré, fond secret de l'être, sensibilité, cœur.
2. Margelle : petit mur en pierre qui forme le rebord d'un puits.

Elle était encore jolie,
Quoique bien fatiguée ! et moi,
Je l'aimais trop ! voilà pourquoi
Je lui dis : Sors de cette vie !

Nul ne peut me comprendre. Un seul
Parmi ces ivrognes stupides
Songea-t-il dans ses nuits morbides
À faire du vin un linceul[1] ?

Cette crapule invulnérable
Comme les machines de fer
Jamais, ni l'été ni l'hiver,
N'a connu l'amour véritable,

Avec ses noirs enchantements,
Son cortège infernal d'alarmes,
Ses fioles[2] de poison, ses larmes,
Ses bruits de chaîne et d'ossements !

– Me voilà libre et solitaire !
Je serai ce soir ivre mort ;
Alors, sans peur et sans remord[3],
Je me coucherai sur la terre,

Et je dormirai comme un chien !
Le chariot aux lourdes roues
Chargé de pierres et de boues,
Le wagon enragé peut bien

---

1. *Linceul* : toile dans laquelle on ensevelit un mort.
2. *Fioles* : flacons étroits en verre.
3. *Remord* : licence poétique pour «remords».

Écraser ma tête coupable
Ou me couper par le milieu,
Je m'en moque comme de Dieu,
52   Du Diable ou de la Sainte Table[1] !

CVII. – Le Vin du solitaire

Le regard singulier d'une femme galante
Qui se glisse vers nous comme le rayon blanc
Que la lune onduleuse envoie au lac tremblant,
4 Quand elle y veut baigner sa beauté nonchalante ;

Le dernier sac d'écus dans les doigts d'un joueur ;
Un baiser libertin de la maigre Adeline ;
Les sons d'une musique énervante[2] et câline,
8 Semblable au cri lointain de l'humaine douleur,

Tout cela ne vaut pas, ô bouteille profonde,
Les baumes pénétrants que ta panse féconde
11 Garde au cœur altéré du poète pieux ;

Tu lui verses l'espoir, la jeunesse et la vie,
– Et l'orgueil, ce trésor de toute gueuserie[3],
14 Qui nous rend triomphants et semblables aux Dieux !

---

1. *Sainte Table* : dans la religion catholique, allusion à l'autel où s'accomplit le rite de la communion eucharistique, par référence à la Cène, dernier repas du Christ.
2. *Énervante* : au sens étymologique, amollissante, qui abat la force.
3. *Gueuserie* : extrême pauvreté.

CVIII. – Le Vin des amants

Aujourd'hui l'espace est splendide !
Sans mors, sans éperons, sans bride,
Partons à cheval sur le vin
4 Pour un ciel féerique et divin !

Comme deux anges que torture
Une implacable calenture[1],
Dans le bleu cristal du matin
8 Suivons le mirage lointain !

Mollement balancés sur l'aile
Du tourbillon intelligent,
11 Dans un délire parallèle,

Ma sœur, côte à côte nageant,
Nous fuirons sans repos ni trêves
14 Vers le paradis de mes rêves !

---

1. *Calenture* : délire furieux du marin dû à une insolation dans les régions tropicales.

Fleurs du mal

CIX. – La Destruction

Sans cesse à mes côtés s'agite le Démon ;
Il nage autour de moi comme un air impalpable ;
Je l'avale et le sens qui brûle mon poumon
4   Et l'emplit d'un désir éternel et coupable.

Parfois il prend, sachant mon grand amour de l'Art,
La forme de la plus séduisante des femmes,
Et, sous de spécieux[1] prétextes de cafard[2],
8   Accoutume ma lèvre à des philtres[3] infâmes.

Il me conduit ainsi, loin du regard de Dieu,
Haletant et brisé de fatigue, au milieu
11   Des plaines de l'Ennui, profondes et désertes,

Et jette dans mes yeux pleins de confusion
Des vêtements souillés, des blessures ouvertes,
14   Et l'appareil sanglant de la Destruction !

---

1. *Spécieux* : trompeurs, séducteurs.
2. *Cafard* : personne sournoise, hypocrite.
3. *Philtres* : breuvages magiques qui inspirent l'amour.

CX. – Une martyre

Dessin d'un maître inconnu

Au milieu des flacons, des étoffes lamées[1]
      Et des meubles voluptueux,
Des marbres, des tableaux, des robes parfumées
4   Qui traînent à plis somptueux,

Dans une chambre tiède où, comme en une serre,
      L'air est dangereux et fatal,
Où des bouquets mourants dans leurs cercueils de verre
8   Exhalent leur soupir final,

Un cadavre sans tête épanche, comme un fleuve,
      Sur l'oreiller désaltéré
Un sang rouge et vivant, dont la toile s'abreuve
12   Avec l'avidité d'un pré.

Semblable aux visions pâles qu'enfante l'ombre
      Et qui nous enchaînent les yeux,
La tête, avec l'amas de sa crinière sombre
16   Et de ses bijoux précieux,

Sur la table de nuit, comme une renoncule,
      Repose ; et, vide de pensers[2],
Un regard vague et blanc comme le crépuscule
20   S'échappe des yeux révulsés[3].

---

1. *Lamées* : incrustées de fines lames de métal précieux.
2. *Pensers* : archaïsme pour «pensées».
3. *Révulsés* : qui se sont retournés sous la paupière et dont on ne voit plus que la pupille.

Sur le lit, le tronc nu sans scrupules étale
  Dans le plus complet abandon
La secrète splendeur et la beauté fatale
24 Dont la nature lui fit don;

Un bas rosâtre, orné de coins d'or, à la jambe,
  Comme un souvenir est resté;
La jarretière, ainsi qu'un œil secret qui flambe,
28 Darde[1] un regard diamanté.

Le singulier aspect de cette solitude
  Et d'un grand portrait langoureux,
Aux yeux provocateurs comme son attitude,
32 Révèle un amour ténébreux,

Une coupable joie et des fêtes étranges
  Pleines de baisers infernaux,
Dont se réjouissait l'essaim des mauvais anges
36 Nageant dans les plis des rideaux;

Et cependant, à voir la maigreur élégante
  De l'épaule au contour heurté,
La hanche un peu pointue et la taille fringante
40 Ainsi qu'un reptile irrité,

Elle est bien jeune encor[2]! – Son âme exaspérée
  Et ses sens par l'ennui mordus
S'étaient-ils entr'ouverts à la meute altérée
44 Des désirs errants et perdus?

---

1. *Darde* : projette.
2. Élision du *e* final pour des raisons de versification.

L'homme vindicatif que tu n'as pu, vivante,
        Malgré tant d'amour, assouvir,
Combla-t-il sur ta chair inerte et complaisante
48   L'immensité de son désir ?

Réponds, cadavre impur ! et par tes tresses roides[1]
        Te soulevant d'un bras fiévreux,
Dis-moi, tête effrayante, a-t-il sur tes dents froides
52   Collé les suprêmes adieux ?

– Loin du monde railleur, loin de la foule impure,
        Loin des magistrats curieux,
Dors en paix, dors en paix, étrange créature,
56   Dans ton tombeau mystérieux ;

Ton époux court le monde, et ta forme immortelle
        Veille près de lui quand il dort ;
Autant que toi sans doute il te sera fidèle,
60   Et constant jusques à la mort.

CXI. – Femmes damnées

Comme un bétail pensif sur le sable couchées,
Elles tournent leurs yeux vers l'horizon des mers,
Et leurs pieds se cherchant et leurs mains rapprochées
4 Ont de douces langueurs[2] et des frissons amers.

---

1. *Roides* : qui manquent de souplesse, raides.
2. *Langueurs* : « états d'affaiblissement provoqués par la passion de l'amour »
(*Littré*).

Les unes, cœurs épris des longues confidences,
Dans le fond des bosquets où jasent les ruisseaux,
Vont épelant l'amour des craintives enfances
8   Et creusent le bois vert des jeunes arbrisseaux ;

D'autres, comme des sœurs, marchent lentes et graves
À travers les rochers pleins d'apparitions,
Où saint Antoine[1] a vu surgir comme des laves
12 Les seins nus et pourprés de ses tentations ;

Il en est, aux lueurs des résines croulantes[2],
Qui dans le creux muet des vieux antres païens
T'appellent au secours de leurs fièvres hurlantes,
16 Ô Bacchus[3], endormeur des remords anciens !

Et d'autres, dont la gorge aime les scapulaires[4],
Qui, recélant un fouet sous leurs longs vêtements,
Mêlent, dans le bois sombre et les nuits solitaires,
20 L'écume du plaisir aux larmes des tourments.

Ô vierges, ô démons, ô monstres, ô martyres,
De la réalité grands esprits contempteurs[5],
Chercheuses d'infini, dévotes et satyres[6],
24 Tantôt pleines de cris, tantôt pleines de pleurs,

---

1. *Saint Antoine* : saint chrétien qui vécut en ermite dans le désert et fut soumis à des tentations et à des visions démoniaques.
2. *Résines croulantes* : flambeaux dont le combustible est la résine et qui, ici, achèvent de se consumer.
3. *Bacchus* : dieu romain du Vin et de l'Ivresse.
4. *Scapulaires* : vêtements religieux composés de deux morceaux d'étoffe tombant sur la poitrine et sur le dos, portés par-dessus la robe.
5. *Contempteurs* : qui méprisent, qui négligent.
6. *Satyres* : créatures mythologiques aux mœurs lubriques, mi-hommes mi-boucs, qui vivent dans les bois et sont sans cesse en quête de débauches sexuelles.

Vous que dans votre enfer mon âme a poursuivies,
Pauvres sœurs, je vous aime autant que je vous plains,
Pour vos mornes douleurs, vos soifs inassouvies,
28 Et les urnes d'amour dont vos grands cœurs sont pleins !

CXII. – Les Deux Bonnes Sœurs

La Débauche et la Mort sont deux aimables filles,
Prodigues[1] de baisers et riches de santé,
Dont le flanc toujours vierge et drapé de guenilles
4 Sous l'éternel labeur n'a jamais enfanté.

Au poète sinistre, ennemi des familles,
Favori de l'enfer, courtisan mal renté[2],
Tombeaux et lupanars[3] montrent sous leurs charmilles[4]
8 Un lit que le remords n'a jamais fréquenté.

Et la bière[5] et l'alcôve[6] en blasphèmes[7] fécondes
Nous offrent tour à tour, comme deux bonnes sœurs,
11 De terribles plaisirs et d'affreuses douceurs.

---

1. *Prodigues* : qui donnent généreusement.
2. *Mal renté* : qui n'a pas beaucoup de rentes, pauvre.
3. *Lupanars* : maisons closes, lieux de prostitution.
4. *Charmilles* : allées, bosquets ou haies plantés de charmes, arbres vivaces
à bois dur et blanc.
5. *Bière* : cercueil.
6. *Alcôve* : lieu secret des amours.
7. *Blasphèmes* : paroles outrageant la religion et la divinité.

Quand veux-tu m'enterrer, Débauche aux bras immondes ?
Ô Mort, quand viendras-tu, sa rivale en attraits,
14   Sur ses myrtes[1] infects enter[2] tes noirs cyprès[3] ?

CXIII. – La Fontaine de sang

Il me semble parfois que mon sang coule à flots,
Ainsi qu'une fontaine aux rythmiques sanglots.
Je l'entends bien qui coule avec un long murmure,
4   Mais je me tâte en vain pour trouver la blessure.

À travers la cité, comme dans un champ clos,
Il s'en va, transformant les pavés en îlots,
Désaltérant la soif de chaque créature,
8   Et partout colorant en rouge la nature.

J'ai demandé souvent à des vins captieux[4]
D'endormir pour un jour la terreur qui me mine ;
11   Le vin rend l'œil plus clair et l'oreille plus fine !

J'ai cherché dans l'amour un sommeil oublieux ;
Mais l'amour n'est pour moi qu'un matelas d'aiguilles
14   Fait pour donner à boire à ces cruelles filles !

---

1. *Myrtes* : arbustes à feuilles persistantes et à fleurs blanches, consacrés chez les Anciens à Vénus.
2. *Enter* : greffer.
3. *Cyprès* : conifères effilés, d'un vert sombre, symbolisant le deuil, souvent présents dans les cimetières.
4. *Captieux* : qui trompent les sens, qui enivrent.

CXIV. – Allégorie

C'est une femme belle et de riche encolure,
Qui laisse dans son vin traîner sa chevelure.
Les griffes de l'amour, les poisons du tripot[1],
Tout glisse et tout s'émousse au granit de sa peau.
5 Elle rit à la Mort et nargue la Débauche,
Ces monstres dont la main, qui toujours gratte et fauche,
Dans ses jeux destructeurs a pourtant respecté
De ce corps ferme et droit la rude majesté.
Elle marche en déesse et repose en sultane ;
10 Elle a dans le plaisir la foi mahométane[2],
Et dans ses bras ouverts, que remplissent ses seins,
Elle appelle des yeux la race des humains.
Elle croit, elle sait, cette vierge inféconde
Et pourtant nécessaire à la marche du monde,
15 Que la beauté du corps est un sublime don
Qui de toute infamie[3] arrache le pardon.
Elle ignore l'Enfer comme le Purgatoire,
Et quand l'heure viendra d'entrer dans la Nuit noire,
Elle regardera la face de la Mort,
20 Ainsi qu'un nouveau-né, – sans haine et sans remord[4].

---

1. *Tripot* : maison de jeu malfamée.
2. *Mahométane* : relative à la religion musulmane, ici au sens d'inébranlable.
3. *Infamie* : action déshonorante.
4. *Remord* : licence poétique pour «remords».

CXV. – La Béatrice[1]

Dans des terrains cendreux[2], calcinés, sans verdure,
Comme je me plaignais un jour à la nature,
Et que de ma pensée, en vaguant[3] au hasard,
J'aiguisais lentement sur mon cœur le poignard,
5 Je vis en plein midi descendre sur ma tête
Un nuage funèbre et gros d'une tempête,
Qui portait un troupeau de démons vicieux,
Semblables à des nains cruels et curieux.
À me considérer froidement ils se mirent,
10 Et, comme des passants sur un fou qu'ils admirent[4],
Je les entendis rire et chuchoter entre eux,
En échangeant maint signe et maint clignement d'yeux :

– «Contemplons à loisir cette caricature
Et cette ombre d'Hamlet[5] imitant sa posture,
15 Le regard indécis et les cheveux au vent.
N'est-ce pas grand-pitié de voir ce bon vivant,
Ce gueux[6], cet histrion[7] en vacances, ce drôle,
Parce qu'il sait jouer artistement son rôle,
Vouloir intéresser au chant de ses douleurs
20 Les aigles, les grillons, les ruisseaux et les fleurs,
Et même à nous, auteurs de ces vieilles rubriques,
Réciter en hurlant ses tirades publiques?»

---

1. *Béatrice* : femme aimée par le poète italien Dante (1265-1321), inspiratrice de son œuvre *La Divine Comédie*.
2. *Cendreux* : recouverts de cendre, de poussière.
3. *En vaguant* : en errant, en vagabondant.
4. *Admirent* : au sens classique, regardent avec étonnement.
5. *Hamlet* : prince du Danemark, héros éponyme de la célèbre tragédie de Shakespeare (v. 1600), obsédé par la mort de son père et le devoir de vengeance, mais rongé par l'incertitude et l'hésitation.
6. *Gueux* : mendiant.
7. *Histrion* : mauvais acteur, qui se donne en spectacle.

J'aurais pu (mon orgueil aussi haut que les monts
Domine la nuée[1] et le cri des démons)
25 Détourner simplement ma tête souveraine,
Si je n'eusse pas vu parmi leur troupe obscène,
Crime qui n'a pas fait chanceler le soleil !
La reine de mon cœur au regard nonpareil,
Qui riait avec eux de ma sombre détresse
30 Et leur versait parfois quelque sale caresse.

CXVI. – Un voyage à Cythère[2]

Mon cœur, comme un oiseau, voltigeait tout joyeux
Et planait librement à l'entour des cordages ;
Le navire roulait sous un ciel sans nuages,
4 Comme un ange enivré d'un soleil radieux.

Quelle est cette île triste et noire ? – C'est Cythère,
Nous dit-on, un pays fameux dans les chansons,
Eldorado[3] banal de tous les vieux garçons.
8 Regardez, après tout, c'est une pauvre terre.

---

1. *Nuée* : nuages étendus.
2. *Cythère* : île natale d'Aphrodite (Vénus) située dans la mer Égée et consacrée à l'amour. Baudelaire, inspiré par *Le Voyage en Orient* de Nerval, en propose ici un tableau décadent. *L'Embarquement pour Cythère* (1711) est par ailleurs le titre d'un célèbre tableau de Watteau.
3. *Eldorado* : lieu mythique d'Amérique du Sud, où les colons espagnols et portugais pensaient trouver de l'or, d'où ce nom de «pays doré». Ce terme désigne ici le lieu utopique de l'amour libre.

– Île des doux secrets et des fêtes du cœur !
De l'antique Vénus[1] le superbe fantôme
Au-dessus de tes mers plane comme un arome,
12 Et charge les esprits d'amour et de langueur[2].

Belle île aux myrtes[3] verts, pleine de fleurs écloses,
Vénérée à jamais par toute nation,
Où les soupirs des cœurs en adoration
16 Roulent comme l'encens sur un jardin de roses

Ou le roucoulement éternel d'un ramier[4] !
– Cythère n'était plus qu'un terrain des plus maigres,
Un désert rocailleux troublé par des cris aigres.
20 J'entrevoyais pourtant un objet singulier !

Ce n'était pas un temple aux ombres bocagères[5],
Où la jeune prêtresse, amoureuse des fleurs,
Allait, le corps brûlé de secrètes chaleurs,
24 Entrebâillant sa robe aux brises passagères ;

Mais voilà qu'en rasant la côte d'assez près
Pour troubler les oiseaux avec nos voiles blanches,
Nous vîmes que c'était un gibet[6] à trois branches,
28 Du ciel se détachant en noir, comme un cyprès.

---

1. **Vénus** : déesse romaine de l'Amour.
2. **Langueur** : affaiblissement physique ou moral, manque d'énergie, nonchalance.
3. **Myrtes** : arbustes à feuilles persistantes et à fleurs blanches, consacrés à Vénus chez les Anciens.
4. **Ramier** : pigeon sauvage.
5. **Ombres bocagères** : ombres des bois et des bosquets.
6. **Gibet** : instrument de pendaison, potence.

De féroces oiseaux perchés sur leur pâture[1]
Détruisaient avec rage un pendu déjà mûr,
Chacun plantant, comme un outil, son bec impur
32 Dans tous les coins saignants de cette pourriture;

Les yeux étaient deux trous, et du ventre effondré
Les intestins pesants lui coulaient sur les cuisses,
Et ses bourreaux, gorgés de hideuses délices,
36 L'avaient à coups de bec absolument châtré.

Sous les pieds, un troupeau de jaloux quadrupèdes,
Le museau relevé, tournoyait et rôdait;
Une plus grande bête au milieu s'agitait
40 Comme un exécuteur entouré de ses aides.

Habitant de Cythère, enfant d'un ciel si beau,
Silencieusement tu souffrais ces insultes
En expiation[2] de tes infâmes cultes
44 Et des péchés qui t'ont interdit le tombeau.

Ridicule pendu, tes douleurs sont les miennes!
Je sentis, à l'aspect de tes membres flottants,
Comme un vomissement, remonter vers mes dents
48 Le long fleuve de fiel[3] des douleurs anciennes;

Devant toi, pauvre diable au souvenir si cher,
J'ai senti tous les becs et toutes les mâchoires
Des corbeaux lancinants et des panthères noires
52 Qui jadis aimaient tant à triturer ma chair.

---

1. *Pâture* : nourriture.
2. *Expiation* : peine infligée en réparation d'une faute.
3. *Fiel* : bile, amertume, méchanceté.

– Le ciel était charmant, la mer était unie ;
Pour moi tout était noir et sanglant désormais,
Hélas ! et j'avais, comme en un suaire[1] épais,
56 Le cœur enseveli dans cette allégorie.

Dans ton île, ô Vénus ! je n'ai trouvé debout
Qu'un gibet[2] symbolique où pendait mon image...
– Ah ! Seigneur ! donnez-moi la force et le courage
60 De contempler mon cœur et mon corps sans dégoût !

CXVII. – L'Amour et le crâne

Vieux cul-de-lampe[3]

L'Amour est assis sur le crâne
        De l'Humanité,
Et sur ce trône le profane,
4   Au rire effronté,

Souffle gaiement des bulles rondes
        Qui montent dans l'air,
Comme pour rejoindre les mondes
8   Au fond de l'éther[4].

---

1. *Suaire* : linceul, pièce d'étoffe blanche dans laquelle on ensevelit un mort.
2. *Gibet* : instrument de pendaison, potence.
3. *Cul-de-lampe* : vignette illustrative située à la fin d'un chapitre, dont la forme rappelle le culot des lampes d'église.
4. *Éther* : espace céleste situé au-dessus de l'atmosphère et rempli d'un fluide subtil, mi-liquide mi-gazeux.

Le globe lumineux et frêle
        Prend un grand essor,
Crève et crache son âme grêle
        Comme un songe d'or.

J'entends le crâne à chaque bulle
        Prier et gémir :
– «Ce jeu féroce et ridicule,
        Quand doit-il finir ?

Car ce que ta bouche cruelle
        Éparpille en l'air,
Monstre assassin, c'est ma cervelle,
        Mon sang et ma chair !»

■ Gravure de J. Goltzius (1558-1616) dont s'inspire « L'Amour et le crâne ». Initialement, ce poème était sous-titré « D'après une vieille gravure ».

Révolte

CXVIII. – Le Reniement de saint Pierre[1]

Qu'est-ce que Dieu fait donc de ce flot d'anathèmes[2]
Qui monte tous les jours vers ses chers Séraphins[3] ?
Comme un tyran gorgé de viande et de vins,
4   Il s'endort au doux bruit de nos affreux blasphèmes[4].

Les sanglots des martyrs et des suppliciés
Sont une symphonie enivrante sans doute,
Puisque, malgré le sang que leur volupté coûte,
8   Les cieux ne s'en sont point encore rassasiés !

– Ah ! Jésus, souviens-toi du Jardin des Olives[5] !
Dans ta simplicité tu priais à genoux
Celui qui dans son ciel riait au bruit des clous
12   Que d'ignobles bourreaux plantaient dans tes chairs vives,

---

1. Saint Pierre renia trois fois Jésus, d'après les Évangiles.
2. *Anathèmes* : malédictions.
3. *Séraphins* : anges de premier ordre dans la hiérarchie céleste.
4. *Blasphèmes* : paroles outrageant la religion et la divinité.
5. *Jardin des Olives* : mont des Oliviers où, avant d'être arrêté et crucifié, Jésus passa sa dernière nuit dans l'angoisse de la mort, abandonné de Dieu et des siens.

Lorsque tu vis cracher sur ta divinité
La crapule du corps de garde[1] et des cuisines,
Et lorsque tu sentis s'enfoncer les épines
16 Dans ton crâne où vivait l'immense Humanité;

Quand de ton corps brisé la pesanteur horrible
Allongeait tes deux bras distendus, que ton sang
Et ta sueur coulaient de ton front pâlissant,
20 Quand tu fus devant tous posé comme une cible,

Rêvais-tu de ces jours si brillants et si beaux
Où tu vins pour remplir l'éternelle promesse,
Où tu foulais, monté sur une douce ânesse,
24 Des chemins tout jonchés de fleurs et de rameaux[2],

Où, le cœur tout gonflé d'espoir et de vaillance,
Tu fouettais tous ces vils marchands à tour de bras,
Où tu fus maître enfin? Le remords n'a-t-il pas
28 Pénétré dans ton flanc plus avant que la lance?

– Certes, je sortirai, quant à moi, satisfait
D'un monde où l'action n'est pas la sœur du rêve;
Puissé-je user du glaive et périr par le glaive[3]!
32 Saint Pierre a renié Jésus... il a bien fait.

---

1. *Corps de garde* : milice militaire chargée de la garde du condamné, le Christ, en l'occurrence.
2. Allusion au dimanche dit des Rameaux, qui précéda l'arrestation et la mort du Christ, et vit son retour triomphal à Jérusalem.
3. *Périr par le glaive* : allusion à une phrase du Christ, condamnant la violence : «tous ceux qui prennent le glaive, périront par le glaive» (Matth. 26, 52).

CXIX. – Abel et Caïn[1]

I

Race d'Abel, dors, bois et mange ;
Dieu te sourit complaisamment.

Race de Caïn, dans la fange[2]
Rampe et meurs misérablement.

Race d'Abel, ton sacrifice
Flatte le nez du Séraphin[3] !

Race de Caïn, ton supplice
Aura-t-il jamais une fin ?

Race d'Abel, vois tes semailles
Et ton bétail venir à bien ;

Race de Caïn, tes entrailles
Hurlent la faim comme un vieux chien.

Race d'Abel, chauffe ton ventre
À ton foyer patriarcal[4] ;

---

1. Abel et Caïn sont les fils d'Adam et Ève, dans la Genèse. Abel est un cultivateur dont les offrandes ont attiré la bienveillance divine. Jaloux de cette préférence, Caïn, son frère aîné, le tue. Pour le punir, Dieu le maudit ainsi que sa descendance et le condamne à l'errance.
2. *Fange* : au sens propre, boue épaisse ; au sens figuré, déchéance morale, abjection.
3. *Séraphin* : ange de premier ordre dans la hiérarchie céleste.
4. *Patriarcal* : fondé sur l'autorité du père et la filiation masculine.

Race de Caïn, dans ton antre
16   Tremble de froid, pauvre chacal !

Race d'Abel, aime et pullule !
18   Ton or fait aussi des petits.

Race de Caïn, cœur qui brûle,
20   Prends garde à ces grands appétits.

Race d'Abel, tu crois et broutes
22   Comme les punaises des bois !

Race de Caïn, sur les routes
24   Traîne ta famille aux abois.

II

Ah ! race d'Abel, ta charogne
26   Engraissera le sol fumant !

Race de Caïn, ta besogne
28   N'est pas faite suffisamment ;

Race d'Abel, voici ta honte :
30   Le fer est vaincu par l'épieu[1] !

Race de Caïn, au ciel monte,
32   Et sur la terre jette Dieu !

---

1. Renversement du rapport de force biblique ; le fer des instruments du laboureur, qui symbolise la race d'Abel, est ici vaincu par l'épieu, l'arme du chasseur vagabond qui représente Caïn.

CXX. – Les Litanies[1] de Satan

Ô toi, le plus savant et le plus beau des Anges,
Dieu trahi par le sort et privé de louanges,

3 Ô Satan, prends pitié de ma longue misère !

Ô Prince de l'exil, à qui l'on a fait tort,
Et qui, vaincu, toujours te redresses plus fort,

6 Ô Satan, prends pitié de ma longue misère !

Toi qui sais tout, grand roi des choses souterraines,
Guérisseur familier des angoisses humaines,

9 Ô Satan, prends pitié de ma longue misère !

Toi qui, même aux lépreux, aux parias[2] maudits,
Enseignes par l'amour le goût du Paradis,

12 Ô Satan, prends pitié de ma longue misère !

Ô toi qui de la Mort, ta vieille et forte amante,
Engendras l'Espérance, – une folle charmante !

15 Ô Satan, prends pitié de ma longue misère !

Toi qui fais au proscrit[3] ce regard calme et haut
Qui damne tout un peuple autour d'un échafaud,

---

1. *Litanies* : suppliques adressées à Dieu ou aux saints.
2. *Parias* : exclus.
3. *Proscrit* : banni.

₁₈ Ô Satan, prends pitié de ma longue misère !

Toi qui sais en quels coins des terres envieuses
Le Dieu jaloux cacha les pierres précieuses,

₂₁ Ô Satan, prends pitié de ma longue misère !

Toi dont l'œil clair connaît les profonds arsenaux[1]
Où dort enseveli le peuple des métaux,

₂₄ Ô Satan, prends pitié de ma longue misère !

Toi dont la large main cache les précipices
Au somnambule errant au bord des édifices,

₂₇ Ô Satan, prends pitié de ma longue misère !

Toi qui, magiquement, assouplis les vieux os
De l'ivrogne attardé foulé par les chevaux,

₃₀ Ô Satan, prends pitié de ma longue misère !

Toi qui, pour consoler l'homme frêle qui souffre,
Nous appris à mêler le salpêtre[2] et le soufre,

₃₃ Ô Satan, prends pitié de ma longue misère !

Toi qui poses ta marque, ô complice subtil,
Sur le front du Crésus[3] impitoyable et vil,

---

1. Arsenaux : entrepôts où sont remisées armes et munitions.
2. Salpêtre : nitrate de potassium qui rentre avec le soufre dans la composition de la poudre à canon.
3. Crésus : roi de l'Antiquité, célèbre pour ses richesses fabuleuses.

₃₆ Ô Satan, prends pitié de ma longue misère !

Toi qui mets dans les yeux et dans le cœur des filles
Le culte de la plaie et l'amour des guenilles,

₃₉ Ô Satan, prends pitié de ma longue misère !

Bâton des exilés, lampe des inventeurs,
Confesseur des pendus et des conspirateurs,

₄₂ Ô Satan, prends pitié de ma longue misère !

Père adoptif de ceux qu'en sa noire colère
Du paradis terrestre a chassés Dieu le Père,

₄₅ Ô Satan, prends pitié de ma longue misère !

Prière

Gloire et louage à toi, Satan, dans les hauteurs
Du Ciel, où tu régnas, et dans les profondeurs
₄₈ De l'Enfer, où, vaincu, tu rêves en silence !
Fais que mon âme un jour, sous l'Arbre de Science[1],
Près de toi se repose, à l'heure où sur ton front
₅₁ Comme un Temple nouveau ses rameaux s'épandront[2] !

---

1. *Arbre de Science* : arbre de la connaissance du Bien et du Mal dont Dieu
interdit à Adam et Ève de consommer les fruits. Séduite par le serpent, Ève
enfreint cette interdiction et provoque leur exclusion du paradis.
2. *S'épandront* : s'étendront.

La Mort

CXXI. – La Mort des amants

Nous aurons des lits pleins d'odeurs légères,
Des divans profonds comme des tombeaux,
Et d'étranges fleurs sur des étagères,
4   Écloses pour nous sous des cieux plus beaux.

Usant à l'envi[1] leurs chaleurs dernières,
Nos deux cœurs seront deux vastes flambeaux,
Qui réfléchiront leurs doubles lumières
8   Dans nos deux esprits, ces miroirs jumeaux.

Un soir fait de rose et de bleu mystique,
Nous échangerons un éclair unique,
11   Comme un long sanglot, tout chargé d'adieux ;

Et plus tard un Ange, entrouvrant les portes,
Viendra ranimer, fidèle et joyeux,
14   Les miroirs ternis et les flammes mortes.

---

1. *À l'envi* : sans fin ni modération.

CXXII. – La Mort des pauvres

C'est la Mort qui console, hélas! et qui fait vivre ;
C'est le but de la vie, et c'est le seul espoir
Qui, comme un élixir[1], nous monte et nous enivre,
4 Et nous donne le cœur de marcher jusqu'au soir ;

À travers la tempête, et la neige, et le givre,
C'est la clarté vibrante à notre horizon noir ;
C'est l'auberge fameuse inscrite sur le livre,
8 Où l'on pourra manger, et dormir, et s'asseoir ;

C'est un Ange qui tient dans ses doigts magnétiques
Le sommeil et le don des rêves extatiques[2],
11 Et qui refait le lit des gens pauvres et nus ;

C'est la gloire des dieux, c'est le grenier mystique,
C'est la bourse du pauvre et sa patrie antique,
14 C'est le portique[3] ouvert sur les Cieux inconnus !

---

1. *Élixir* : breuvage possédant des vertus magiques de guérison.
2. *Extatiques* : qui ravissent, qui ont le caractère de l'extase.
3. *Portique* : galerie couverte dont la voûte est soutenue par des colonnes, très fréquente dans les monuments antiques ouverts vers l'extérieur.

CXXIII. – La Mort des artistes

Combien faut-il de fois secouer mes grelots[1]
Et baiser ton front bas, morne caricature[2] ?
Pour piquer dans le but, de mystique nature,
4 Combien, ô mon carquois[3], perdre de javelots ?

Nous userons notre âme en de subtils complots,
Et nous démolirons mainte lourde armature,
Avant de contempler la grande Créature[4]
8 Dont l'infernal désir nous remplit de sanglots !

Il en est qui jamais n'ont connu leur Idole,
Et ces sculpteurs damnés et marqués d'un affront,
11 Qui vont se martelant la poitrine et le front,

N'ont qu'un espoir, étrange et sombre Capitole[5] !
C'est que la Mort, planant comme un soleil nouveau,
14 Fera s'épanouir les fleurs de leur cerveau !

---

1. *Grelots* : clochettes habituellement attachées au bonnet du fou du roi, ou à sa marotte (baguette en forme de sceptre grotesque).
2. *Morne caricature* : pâle et dérisoire imitation de la Beauté idéale que parvient à représenter l'artiste.
3. *Carquois* : étui où sont rangées les armes de trait, comme les flèches, les lances ou les javelots.
4. *La grande Créature* : la Beauté.
5. *Capitole* : célèbre colline romaine que parcouraient en triomphe les généraux vainqueurs.

CXXIV. – La Fin de la journée

Sous une lumière blafarde
Court, danse et se tord sans raison
La Vie, impudente[1] et criarde.
4   Aussi, sitôt qu'à l'horizon

La nuit voluptueuse monte,
Apaisant tout, même la faim,
Effaçant tout, même la honte,
8   Le Poète se dit : «Enfin!

Mon esprit, comme mes vertèbres,
Invoque ardemment le repos;
11   Le cœur plein de songes funèbres,

Je vais me coucher sur le dos
Et me rouler dans vos rideaux,
14   Ô rafraîchissantes ténèbres!»

CXXV. – Le Rêve d'un curieux

À F. N.[2].

Connais-tu, comme moi, la douleur savoureuse,
Et de toi fais-tu dire : «Oh! l'homme singulier!»
– J'allais mourir. C'était dans mon âme amoureuse,
4 Désir mêlé d'horreur, un mal particulier;

---

1. *Impudente* : audacieuse, effrontée.
2. *À F. N.* : à Félix Nadar (1820-1910), photographe, aéronaute, dessinateur et écrivain français, vieil ami de Baudelaire, qui se donnait pour incroyant.

Angoisse et vif espoir, sans humeur factieuse[1].
Plus allait se vidant le fatal sablier,
8 Plus ma torture était âpre[2] et délicieuse ;
Tout mon cœur s'arrachait au monde familier.

J'étais comme l'enfant avide du spectacle,
11 Haïssant le rideau comme on hait un obstacle…
Enfin la vérité froide se révéla :

J'étais mort sans surprise, et la terrible aurore
14 M'enveloppait. – Eh quoi ! n'est-ce donc que cela ?
La toile était levée et j'attendais encore.

CXXVI. – Le Voyage

À Maxime Du Camp.

I

Pour l'enfant, amoureux de cartes et d'estampes[3],
L'univers est égal à son vaste appétit.
Ah ! que le monde est grand à la clarté des lampes !
4 Aux yeux du souvenir que le monde est petit !

---

1. *Factieuse* : rebelle, qui fomente des complots.
2. *Âpre* : amère.
3. *Estampes* : gravures, images.

Un matin nous partons, le cerveau plein de flamme,
Le cœur gros de rancune et de désirs amers,
Et nous allons, suivant le rythme de la lame[1],
8   Berçant notre infini sur le fini des mers :

Les uns, joyeux de fuir une patrie infâme ;
D'autres, l'horreur de leurs berceaux, et quelques-uns,
Astrologues noyés dans les yeux d'une femme,
12   La Circé[2] tyrannique aux dangereux parfums.

Pour n'être pas changés en bêtes, ils s'enivrent
D'espace et de lumière et de cieux embrasés ;
La glace qui les mord, les soleils qui les cuivrent,
16   Effacent lentement la marque des baisers.

Mais les vrais voyageurs sont ceux-là seuls qui partent
Pour partir ; cœurs légers, semblables aux ballons,
De leur fatalité jamais ils ne s'écartent,
20   Et, sans savoir pourquoi, disent toujours : Allons !

Ceux-là dont les désirs ont la forme des nues[3],
Et qui rêvent, ainsi qu'un conscrit[4] le canon,
De vastes voluptés[5], changeantes, inconnues,
24   Et dont l'esprit humain n'a jamais su le nom !

---

1. *Lame* : mouvement des vagues.
2. *Circé* : dans l'*Odyssée* d'Homère, magicienne qui transforme les compagnons d'Ulysse en pourceaux avant de leur restituer leur forme première.
3. *Nues* : nuages.
4. *Conscrit* : jeune recrue de l'armée.
5. *Voluptés* : plaisirs intenses.

Nous imitons, horreur ! la toupie et la boule
Dans leur valse et leurs bonds ; même dans nos sommeils
La Curiosité nous tourmente et nous roule,
28   Comme un Ange cruel qui fouette des soleils.

Singulière fortune[1] où le but se déplace,
Et, n'étant nulle part, peut être n'importe où !
Où l'Homme, dont jamais l'espérance n'est lasse,
32   Pour trouver le repos court toujours comme un fou !

Notre âme est un trois-mâts cherchant son Icarie[2] ;
Une voix retentit sur le pont : « Ouvre l'œil ! »
Une voix de la hune[3], ardente et folle, crie :
36   « Amour… gloire… bonheur ! » Enfer ! c'est un écueil !

Chaque îlot signalé par l'homme de vigie
Est un Eldorado promis par le Destin ;
L'Imagination qui dresse son orgie
40   Ne trouve qu'un récif aux clartés du matin.

Ô le pauvre amoureux des pays chimériques !
Faut-il le mettre aux fers, le jeter à la mer,
Ce matelot ivrogne, inventeur d'Amériques
44   Dont le mirage rend le gouffre plus amer ?

---

1. Fortune : sens latin de sort, destin.
2. Icarie : île grecque qui doit son nom au mythe d'Icare ; ici, lieu rêvé et utopique.
3. Hune : plate-forme située à l'extrémité supérieure d'un mât.

Tel le vieux vagabond, piétinant dans la boue,
Rêve, le nez en l'air, de brillants paradis ;
Son œil ensorcelé découvre une Capoue[1]
48 Partout où la chandelle illumine un taudis.

III

Étonnants voyageurs ! quelles nobles histoires
Nous lisons dans vos yeux profonds comme les mers !
Montrez-nous les écrins[2] de vos riches mémoires,
52 Ces bijoux merveilleux, faits d'astres et d'éthers[3].

Nous voulons voyager sans vapeur et sans voile !
Faites, pour égayer l'ennui de nos prisons,
Passer sur nos esprits, tendus comme une toile,
56 Vos souvenirs avec leurs cadres d'horizons.

Dites, qu'avez-vous vu ?

IV

                    « Nous avons vu des astres
Et des flots ; nous avons vu des sables aussi ;
Et, malgré bien des chocs et d'imprévus désastres,
60 Nous nous sommes souvent ennuyés, comme ici.

---

1. Capoue : ville italienne réputée pour ses plaisirs et ses délices. Les soldats d'Hannibal y gâchèrent leur chance de victoire contre les Romains en s'y laissant griser par la douceur de vivre.
2. Écrins : coffrets contenant un ou plusieurs bijoux.
3. Éthers : espaces célestes situés au-dessus de l'atmosphère et remplis d'un fluide subtil, mi-liquide mi-gazeux.

La gloire du soleil sur la mer violette,
La gloire des cités dans le soleil couchant,
Allumaient dans nos cœurs une ardeur inquiète
64   De plonger dans un ciel au reflet alléchant.

Les plus riches cités, les plus grands paysages,
Jamais ne contenaient l'attrait mystérieux
De ceux que le hasard fait avec les nuages,
68   Et toujours le désir nous rendait soucieux !

– La jouissance ajoute au désir de la force.
Désir, vieil arbre à qui le plaisir sert d'engrais,
Cependant que grossit et durcit ton écorce,
72   Tes branches veulent voir le soleil de plus près !

Grandiras-tu toujours, grand arbre plus vivace
Que le cyprès[1] ? – Pourtant nous avons, avec soin,
Cueilli quelques croquis pour votre album vorace,
76   Frères qui trouvez beau tout ce qui vient de loin !

Nous avons salué des idoles à trompe ;
Des trônes constellés de joyaux lumineux ;
Des palais ouvragés dont la féerique pompe[2]
80   Serait pour vos banquiers un rêve ruineux ;

Des costumes qui sont pour les yeux une ivresse ;
Des femmes dont les dents et les ongles sont teints,
Et des jongleurs savants que le serpent caresse. »

---

1. *Cyprès* : conifère effilé, d'un vert sombre, symbolisant le deuil, souvent
présent dans les cimetières.
2. *Pompe* : apparat, solennité luxueuse.

V

Et puis, et puis encore ?

VI

84   « Ô cerveaux enfantins !

Pour ne pas oublier la chose capitale,
Nous avons vu partout, et sans l'avoir cherché,
Du haut jusques en bas de l'échelle fatale,
88 Le spectacle ennuyeux de l'immortel péché :

La femme, esclave vile, orgueilleuse et stupide,
Sans rire s'adorant et s'aimant sans dégoût ;
L'homme, tyran goulu, paillard, dur et cupide,
92 Esclave de l'esclave et ruisseau dans l'égout ;

Le bourreau qui jouit, le martyr qui sanglote ;
La fête qu'assaisonne et parfume le sang ;
Le poison du pouvoir énervant le despote,
96 Et le peuple amoureux du fouet abrutissant ;

Plusieurs religions semblables à la nôtre,
Toutes escaladant le ciel ; la Sainteté,
Comme en un lit de plume un délicat se vautre,
100 Dans les clous et le crin cherchant la volupté[1] ;

« L'Humanité bavarde, ivre de son génie,
Et, folle maintenant comme elle était jadis,
Criant à Dieu, dans sa furibonde agonie :
104 "Ô mon semblable, ô mon maître, je te maudis !"

---

1. Volupté : plaisir intense.

Et les moins sots, hardis amants de la Démence,
Fuyant le grand troupeau parqué par le Destin,
Et se réfugiant dans l'opium immense !
108 – Tel est du globe entier l'éternel bulletin[1]. »

VII

Amer savoir, celui qu'on tire du voyage !
Le monde, monotone et petit, aujourd'hui,
Hier, demain, toujours, nous fait voir notre image :
112 Une oasis d'horreur dans un désert d'ennui !

Faut-il partir ? rester ? Si tu peux rester, reste ;
Pars, s'il le faut. L'un court, et l'autre se tapit
Pour tromper l'ennemi vigilant et funeste,
116 Le Temps ! Il est, hélas ! des coureurs sans répit,

Comme le Juif errant et comme les apôtres,
À qui rien ne suffit, ni wagon ni vaisseau,
Pour fuir ce rétiaire[2] infâme ; il en est d'autres
120 Qui savent le tuer sans quitter leur berceau.

Lorsque enfin il mettra le pied sur notre échine[3],
Nous pourrons espérer et crier : En avant !
De même qu'autrefois nous partions pour la Chine,
124 Les yeux fixés au large et les cheveux au vent,

---

1. *Bulletin* : document contenant des informations régulièrement mises à jour.
2. *Rétiaire* : gladiateur romain qui combat avec un filet, un trident et un poignard.
3. *Échine* : dos.

Nous nous embarquerons sur la mer des Ténèbres
Avec le cœur joyeux d'un jeune passager.
Entendez-vous ces voix, charmantes et funèbres,
128 Qui chantent : «Par ici! vous qui voulez manger

Le Lotus[1] parfumé! c'est ici qu'on vendange
Les fruits miraculeux dont votre cœur a faim;
Venez vous enivrer de la douceur étrange
132 De cette après-midi qui n'a jamais de fin»?

À l'accent familier nous devinons le spectre;
Nos Pylades[2] là-bas tendent leurs bras vers nous.
«Pour rafraîchir ton cœur nage vers ton Électre[3]!»
136 Dit celle dont jadis nous baisions les genoux.

VIII

Ô Mort, vieux capitaine, il est temps! levons l'ancre!
Ce pays nous ennuie, ô Mort! Appareillons!
Si le ciel et la mer sont noirs comme de l'encre,
140 Nos cœurs que tu connais sont remplis de rayons!

Verse-nous ton poison pour qu'il nous réconforte!
Nous voulons, tant ce feu nous brûle le cerveau,
Plonger au fond du gouffre, Enfer ou Ciel, qu'importe?
144 Au fond de l'Inconnu pour trouver du *nouveau*!

---

1. *Lotus* : dans l'*Odyssée* d'Homère, plante réputée pour provoquer l'amné-
sie. Selon les Anciens, quiconque y goûte est assuré d'oublier sa patrie.
2. *Pylades* : dans le cycle tragique des Atrides Pylate était l'ami d'Oreste.
3. *Électre* : sœur d'Oreste, elle poussa son frère à tuer leur mère, Clytemnestre,
et son amant Égisthe, pour venger le meurtre d'Agamemnon. Selon John
E. Jackson (*Baudelaire*, Le Livre de Poche, 2001), Baudelaire aime s'identifier
à Oreste, ce héros que vient apaiser une sœur bienveillante.

Pièces condamnées

I. – Les Bijoux

La très chère était nue, et, connaissant mon cœur,
Elle n'avait gardé que ses bijoux sonores,
Dont le riche attirail lui donnait l'air vainqueur
4 Qu'ont dans leurs jours heureux les esclaves des Mores[1].

Quand il jette en dansant son bruit vif et moqueur,
Ce monde rayonnant de métal et de pierre
Me ravit en extase, et j'aime à la fureur
8 Les choses où le son se mêle à la lumière.

Elle était donc couchée et se laissait aimer,
Et du haut du divan elle souriait d'aise
À mon amour profond et doux comme la mer,
12 Qui vers elle montait comme vers sa falaise.

Les yeux fixés sur moi, comme un tigre dompté,
D'un air vague et rêveur elle essayait des poses,
Et la candeur[2] unie à la lubricité[3]
16 Donnait un charme neuf à ses métamorphoses;

---

1. *Mores* : Maures, peuples du nord de l'Afrique, également appelés Sarrasins.
2. *Candeur* : innocence.
3. *Lubricité* : attirance pour la débauche sexuelle.

Et son bras et sa jambe, et sa cuisse et ses reins,
Polis comme de l'huile, onduleux comme un cygne,
Passaient devant mes yeux clairvoyants et sereins;
20   Et son ventre et ses seins, ces grappes de ma vigne,

S'avançaient, plus câlins que les Anges du mal,
Pour troubler le repos où mon âme était mise,
Et pour la déranger du rocher de cristal
24   Où, calme et solitaire, elle s'était assise.

Je croyais voir unis par un nouveau dessin
Les hanches de l'Antiope[1] au buste d'un imberbe,
Tant sa taille faisait ressortir son bassin.
28   Sur ce teint fauve et brun, le fard était superbe!

– Et la lampe s'étant résignée à mourir,
Comme le foyer seul illuminait la chambre,
Chaque fois qu'il poussait un flamboyant soupir,
32   Il inondait de sang cette peau couleur d'ambre[2]!

---

1. *Antiope* : dans l'Antiquité, il s'agit soit de la fille de Nyctée, roi de Thèbes, qui fut séduite par Zeus sous l'apparence d'un satyre, soit de la reine des Amazones, enlevée par Thésée, dont elle eut un fils, Hippolyte. Le contexte laisse penser que Baudelaire fait allusion à la première, figure picturale ayant en effet été traitée par de nombreux peintres comme le Corrège, Titien et Watteau.

2. *Ambre* : parfum précieux, extrait d'une substance organique, de couleur grise ou rousse, sécrétée par le système intestinal des cachalots.

II. – Le Léthé[1]

Viens sur mon cœur, âme cruelle et sourde,
Tigre adoré, monstre aux airs indolents[2] ;
Je veux longtemps plonger mes doigts tremblants
4   Dans l'épaisseur de ta crinière lourde ;

Dans tes jupons remplis de ton parfum
Ensevelir ma tête endolorie,
Et respirer, comme une fleur flétrie,
8   Le doux relent de mon amour défunt.

Je veux dormir ! dormir plutôt que vivre !
Dans un sommeil aussi doux que la mort,
J'étalerai mes baisers sans remord[3]
12   Sur ton beau corps poli comme le cuivre.

Pour engloutir mes sanglots apaisés
Rien ne me vaut l'abîme[4] de ta couche ;
L'oubli puissant habite sur ta bouche,
16   Et le Léthé coule dans tes baisers.

À mon destin, désormais mon délice,
J'obéirai comme un prédestiné ;
Martyr docile, innocent condamné,
20   Dont la ferveur attise le supplice,

---

1. *Léthé* : fleuve des Enfers dans la mythologie grecque. Ses eaux ont la vertu de faire oublier le passé à ceux qui s'en abreuvent. On y faisait en particulier boire aux morts l'oubli de leur vie passée de plaisirs et de licence.
2. *Indolents* : paresseux, d'une majestueuse nonchalance (étymologiquement, *indolens*, « qui ne souffre pas, qui n'est pas sensible à la douleur »).
3. *Remord* : licence poétique pour « remords ».
4. *Abîme* : ici, sens figuré, profondeur insondable, gouffre.

Je sucerai, pour noyer ma rancœur,
Le népenthès[1] et la bonne ciguë[2]
Aux bouts charmants de cette gorge[3] aiguë
24 Qui n'a jamais emprisonné de cœur.

III. – À celle qui est trop gaie

Ta tête, ton geste, ton air
Sont beaux comme un beau paysage ;
Le rire joue en ton visage
4 Comme un vent frais dans un ciel clair.

Le passant chagrin que tu frôles
Est ébloui par la santé
Qui jaillit comme une clarté
8 De tes bras et de tes épaules.

Les retentissantes couleurs
Dont tu parsèmes tes toilettes
Jettent dans l'esprit des poètes
12 L'image d'un ballet de fleurs.

Ces robes folles sont l'emblème
De ton esprit bariolé ;
Folle dont je suis affolé,
16 Je te hais autant que je t'aime !

---

1. Népenthès : boisson magique, citée par Homère dans l'*Odyssée*, ayant la vertu de dissiper la souffrance et la mélancolie.
2. Ciguë : plante herbacée très toxique, dont le poison entre, en Grèce antique, dans la composition de la solution mortelle administrée aux condamnés à mort, notamment Socrate.
3. Gorge : poitrine.

Quelquefois dans un beau jardin
Où je traînais mon atonie[1],
J'ai senti, comme une ironie,
Le soleil déchirer mon sein ;

Et le printemps et la verdure
Ont tant humilié mon cœur,
Que j'ai puni sur une fleur
L'insolence de la Nature.

Ainsi je voudrais, une nuit,
Quand l'heure des voluptés[2] sonne,
Vers les trésors de ta personne,
Comme un lâche, ramper sans bruit,

Pour châtier ta chair joyeuse,
Pour meurtrir ton sein pardonné,
Et faire à ton flanc étonné
Une blessure large et creuse,

Et, vertigineuse douceur !
À travers ces lèvres nouvelles,
Plus éclatantes et plus belles,
T'infuser mon venin[3], ma sœur !

---

1. *Atonie* : manque de vitalité.
2. *Voluptés* : plaisirs intenses.
3. Les juges ont cru découvrir un sens à la fois sanguinaire et obscène dans les deux dernières stances. La gravité du recueil excluait de pareilles *plaisanteries*. Mais *venin*, signifiant spleen ou mélancolie, était une idée trop simple pour des criminalistes. Que leur interprétation syphilitique leur reste sur la conscience. (Note de l'édition du recueil *Les Épaves* [1866]).

IV. – Lesbos[1]

Mère des jeux latins et des voluptés[2] grecques,
Lesbos, où les baisers, languissants[3] ou joyeux,
Chauds comme les soleils, frais comme les pastèques,
Font l'ornement des nuits et des jours glorieux,
5 Mère des jeux latins et des voluptés grecques,

Lesbos, où les baisers sont comme les cascades
Qui se jettent sans peur dans les gouffres sans fonds,
Et courent, sanglotant et gloussant par saccades,
Orageux et secrets, fourmillants et profonds ;
10 Lesbos, où les baisers sont comme les cascades !

Lesbos, où les Phrynés[4] l'une l'autre s'attirent,
Où jamais un soupir ne resta sans écho,
À l'égal de Paphos[5] les étoiles t'admirent,
Et Vénus[6] à bon droit peut jalouser Sapho[7] !
15 Lesbos, où les Phrynés l'une l'autre s'attirent,

Lesbos, terre des nuits chaudes et langoureuses,
Qui font qu'à leurs miroirs, stérile volupté !
Les filles aux yeux creux, de leur corps amoureuses,

---

1. *Lesbos* : île grecque située dans la mer Égée et considérée comme la mère patrie de la poésie lyrique et des amours saphiques (voir *infra*, note 7).
2. *Voluptés* : plaisirs intenses.
3. *Languissants* : affaiblis, abattus, qui manquent d'énergie.
4. La courtisane grecque Phryné fut prise comme modèle par le sculpteur antique Praxitèle (IVe siècle av. J.-C.) pour ses célèbres statues de Vénus.
5. *Paphos* : ancienne ville située sur la côte ouest de l'île de Chypre et consacrée à Aphrodite, la déesse de l'Amour.
6. *Vénus* : déesse romaine de l'Amour.
7. *Sapho* : poétesse grecque de l'Antiquité (VIIe-VIe siècle av. J.-C.) qui célébrait l'amour lesbien dans ses poèmes.

Caressent les fruits mûrs de leur nubilité[1] ;
20 Lesbos, terre des nuits chauds et langoureuses,

Laisse du vieux Platon[2] se froncer l'œil austère ;
Tu tires ton pardon de l'excès des baisers,
Reine du doux empire, aimable et noble terre,
Et des raffinements toujours inépuisés.
25 Laisse du vieux Platon se froncer l'œil austère.

Tu tires ton pardon de l'éternel martyre,
Infligé sans relâche aux cœurs ambitieux,
Qu'attire loin de nous le radieux sourire
Entrevu vaguement au bord des autres cieux !
30 Tu tires ton pardon de l'éternel martyre !

Qui des Dieux osera, Lesbos, être ton juge
Et condamner ton front pâli dans les travaux,
Si ses balances d'or n'ont pesé le déluge
De larmes qu'à la mer ont versé tes ruisseaux ?
35 Qui des Dieux osera, Lesbos, être ton juge ?

Que nous veulent les lois du juste et de l'injuste ?
Vierges au cœur sublime, honneur de l'archipel[3],
Votre religion comme une autre est auguste,
Et l'amour se rira de l'Enfer et du Ciel !
40 Que nous veulent les lois du juste et de l'injuste ?

---

1. Nubilité : maturité sexuelle (étymologiquement, aptitude au mariage).
2. Platon : philosophe grec (v. 427-347 av. J.-C.) qui écrivit une trentaine de dialogues transcrivant les enseignements de Socrate. Dans deux d'entre eux, *Phèdre* et *Le Banquet*, il évoque les affections dégagées des sens, idéales et non charnelles, ce qui a donné naissance à l'adjectif « platonique ». Sans doute est-ce en vertu de cette notion, galvaudée par le sens commun, que Baudelaire évoque l'œil austère du philosophe.
3. Archipel : la Grèce et les îles de la mer Égée.

Car Lesbos entre tous m'a choisi sur la terre
Pour chanter le secret de ses vierges en fleurs,
Et je fus dès l'enfance admis au noir mystère
Des rires effrénés mêlés aux sombres pleurs ;
45 Car Lesbos entre tous m'a choisi sur la terre.

Et depuis lors je veille au sommet de Leucate[1],
Comme une sentinelle à l'œil perçant et sûr,
Qui guette nuit et jour brick[2], tartane[3] ou frégate[4],
Dont les formes au loin frissonnent dans l'azur ;
50 Et depuis lors je veille au sommet de Leucate,

Pour savoir si la mer est indulgente et bonne,
Et parmi les sanglots dont le roc retentit
Un soir ramènera vers Lesbos, qui pardonne,
Le cadavre adoré de Sapho, qui partit
55 Pour savoir si la mer est indulgente et bonne !

De la mâle Sapho, l'amante et le poète,
Plus belle que Vénus par ses mornes pâleurs !
– L'œil d'azur est vaincu par l'œil noir que tachète
Le cercle ténébreux tracé par les douleurs
60 De la mâle Sapho, l'amante et le poète !

– Plus belle que Vénus se dressant sur le monde
Et versant les trésors de sa sérénité
Et le rayonnement de sa jeunesse blonde
Sur le vieil Océan de sa fille enchanté[5] ;
65 Plus belle que Vénus se dressant sur le monde !

---

1. Leucate : ancienne île ionienne, pourvue d'un rocher escarpé d'où Sapho
se serait jetée à la mer.
2. Brick : voilier à deux mâts.
3. Tartane : navire méditerranéen.
4. Frégate : voilier à trois mâts.
5. Enchanté : se rapporte à Océan.

    – De Sapho qui mourut le jour de son blasphème[1],
    Quand, insultant le rite et le culte inventé,
    Elle fit son beau corps la pâture[2] suprême
    D'un brutal dont l'orgueil punit l'impiété
70 De celle qui mourut le jour de son blasphème.

    Et c'est depuis ce temps que Lesbos se lamente,
    Et, malgré les honneurs que lui rend l'univers,
    S'enivre chaque nuit du cri de la tourmente
    Que poussent vers les cieux ses rivages déserts.
75 Et c'est depuis ce temps que Lesbos se lamente !

V. – Femmes damnées

Delphine et Hippolyte

    À la pâle clarté des lampes languissantes[3],
    Sur de profonds coussins tout imprégnés d'odeur,
    Hippolyte rêvait aux caresses puissantes
4 Qui levaient le rideau de sa jeune candeur.

    Elle cherchait, d'un œil troublé par la tempête,
    De sa naïveté le ciel déjà lointain,
    Ainsi qu'un voyageur qui retourne la tête
8 Vers les horizons bleus dépassés le matin.

---

1. *Blasphème* : paroles outrageant la religion et la divinité.
2. *Pâture* : nourriture.
3. *Languissantes* : ici, qui s'éteignent doucement.

De ses yeux amortis les paresseuses larmes,
L'air brisé, la stupeur, la morne volupté[1],
Ses bras vaincus, jetés comme de vaines armes,
12 Tout servait, tout parait sa fragile beauté.

Étendue à ses pieds, calme et pleine de joie,
Delphine la couvait avec des yeux ardents,
Comme un animal fort qui surveille une proie,
16 Après l'avoir d'abord marquée avec les dents.

Beauté forte à genoux devant la beauté frêle,
Superbe, elle humait voluptueusement
Le vin de son triomphe, et s'allongeait vers elle,
20 Comme pour recueillir un doux remerciement.

Elle cherchait dans l'œil de sa pâle victime
Le cantique[2] muet que chante le plaisir,
Et cette gratitude infinie et sublime
24 Qui sort de la paupière ainsi qu'un long soupir.

– «Hippolyte, cher cœur, que dis-tu de ces choses?
Comprends-tu maintenant qu'il ne faut pas offrir
L'holocauste[3] sacré de tes premières roses
28 Aux souffles violents qui pourraient les flétrir?

Mes baisers sont légers comme ces éphémères[4]
Qui caressent le soir les grands lacs transparents,
Et ceux de ton amant creuseront leurs ornières
32 Comme des chariots ou des socs[5] déchirants;

---

1. *Volupté* : plaisir intense.
2. *Cantique* : chant d'action de grâces à la gloire de Dieu.
3. *Holocauste* : sacrifice, immolation.
4. *Éphémères* : insectes qui ne vivent que quelques heures ou quelques jours.
5. *Socs* : pièces d'acier triangulaire de charrues qui s'enfoncent dans la terre pour le labour.

Ils passeront sur toi comme un lourd attelage
De chevaux et de bœufs aux sabots sans pitié...
Hippolyte, ô ma sœur ! tourne donc ton visage,
36 Toi, mon âme et mon cœur, mon tout et ma moitié,

Tourne vers moi tes yeux pleins d'azur et d'étoiles !
Pour un de ces regards charmants, baume divin,
Des plaisirs plus obscurs je lèverai les voiles,
40 Et je t'endormirai dans un rêve sans fin ! »

Mais Hippolyte alors, levant sa jeune tête :
– « Je ne suis point ingrate et ne me repens pas,
Ma Delphine, je souffre et je suis inquiète,
44 Comme après un nocturne et terrible repas.

Je sens fondre sur moi de lourdes épouvantes
Et de noirs bataillons de fantômes épars,
Qui veulent me conduire en des routes mouvantes
48 Qu'un horizon sanglant ferme de toutes parts.

Avons-nous donc commis une action étrange ?
Explique, si tu peux, mon trouble et mon effroi :
Je frissonne de peur quand tu me dis : "Mon ange !"
52 Et cependant je sens ma bouche aller vers toi.

Ne me regarde pas ainsi, toi, ma pensée !
Toi que j'aime à jamais, ma sœur d'élection,
Quand même tu serais un embûche dressée
56 Et le commencement de ma perdition[1] ! »

---

1. *Perdition* : notion théologique désignant l'état de péché qui éloigne toute chance de salut.

Delphine secouant sa crinière tragique,
Et comme trépignant sur le trépied de fer[1],
L'œil fatal, répondit d'une voix despotique[2] :
60 – «Qui donc devant l'amour ose parler d'enfer ?

Maudit soit à jamais le rêveur inutile
Qui voulut le premier, dans sa stupidité,
S'éprenant d'un problème insoluble et stérile,
64 Aux choses de l'amour mêler l'honnêteté !

Celui qui veut unir dans un accord mystique
L'ombre avec la chaleur, la nuit avec le jour,
Ne chauffera jamais son corps paralytique
68 À ce rouge soleil que l'on nomme l'amour !

Va, si tu veux, chercher un fiancé stupide;
Cours offrir un cœur vierge à ses cruels baisers;
Et, pleine de remords et d'horreur, et livide,
72 Tu me rapporteras tes seins stigmatisés[3]...

On ne peut ici-bas contenter qu'un seul maître !»
Mais l'enfant, épanchant une immense douleur,
Cria soudain : – «Je sens s'élargir dans mon être
76 Un abîme[4] béant[5]; cet abîme est mon cœur !

Brûlant comme un volcan, profond comme le vide !
Rien ne rassasiera ce monstre gémissant

---

1. *Trépied de fer* : allusion au siège sur lequel trônait la Pythie, une prophé-
tesse grecque qui rendait des oracles à Delphes, sous l'influence d'Apollon.
2. *Despotique* : autoritaire, tyrannique.
3. *Stigmatisés* : ici, meurtris, abîmés, portant des cicatrices.
4. *Abîme* : ici, sens figuré, profondeur insondable, gouffre.
5. *Béant* : grand ouvert.

Et ne rafraîchira la soif de l'Euménide[1]
80 Qui, la torche à la main, le brûle jusqu'au sang.

Que nos rideaux fermés nous séparent du monde,
Et que la lassitude amène le repos !
Je veux m'anéantir dans ta gorge[2] profonde
84 Et trouver sur ton sein la fraîcheur des tombeaux ! »

– Descendez, descendez, lamentables victimes,
Descendez le chemin de l'enfer éternel !
Plongez au plus profond du gouffre, où tous les crimes,
88 Flagellés[3] par un vent qui ne vient pas du ciel,

Bouillonnent pêle-mêle avec un bruit d'orage.
Ombres folles, courez au but de vos désirs ;
Jamais vous ne pourrez assouvir votre rage,
92 Et votre châtiment naîtra de vos plaisirs.

Jamais un rayon frais n'éclaira vos cavernes ;
Par les fentes des murs des miasmes[4] fiévreux
Filtrent en s'enflammant ainsi que des lanternes
96 Et pénètrent vos corps de leurs parfums affreux.

L'âpre[5] stérilité de votre jouissance
Altère votre soif et roidit votre peau,
Et le vent furibond[6] de la concupiscence[7]
100 Fait claquer votre chair ainsi qu'un vieux drapeau.

---

1. Euménide : nom tiré du grec signifiant «Bienveillante», il sert à désigner par euphémisme les Érinyes, déesses grecques de la Vengeance, également appelées Furies.
2. Gorge : poitrine.
3. Flagellés : fouettés.
4. Miasmes : émanations, odeurs.
5. Âpre : amère.
6. Furibond : furieux, en colère.
7. Concupiscence : goût très marqué pour les plaisirs sensuels.

Lion des peuples vivants, errantes, condamnées,
À travers les déserts courez comme les loups ;
Faites votre destin, âmes désordonnées,
104 Et fuyez l'infini que vous portez en vous !

VI. – Les Métamorphoses du vampire

La femme cependant, de sa bouche de fraise,
En se tordant ainsi qu'un serpent sur la braise,
Et pétrissant ses seins sur le fer de son busc[1],
Laissait couler ces mots tout imprégnés de musc[2] :
5   – «Moi, j'ai la lèvre humide, et je sais la science
De perdre au fond d'un lit l'antique conscience.
Je sèche tous les pleurs sur mes seins triomphants,
Et fais rire les vieux du rire des enfants.
Je remplace, pour qui me voit nue et sans voiles,
10   La lune, le soleil, le ciel et les étoiles !
Je suis, mon cher savant, si docte aux voluptés[3],
Lorsque j'étouffe un homme en mes bras redoutés,
Ou lorsque j'abandonne aux morsures mon buste,
Timide et libertine[4], et fragile et robuste,
15   Que sur ces matelas qui se pâment[5] d'émoi,
Les anges impuissants se damneraient pour moi !»

---

1. *Busc* : lame d'acier flexible, baleine insérée dans un corsage pour maintenir la poitrine.
2. *Musc* : parfum très pénétrant obtenu à partir d'une substance brune ayant la consistance du miel et extraite des glandes abdominales de cervidés d'Asie.
3. *Voluptés* : plaisirs intenses.
4. *Libertine* : ici, au sens courant, qui s'adonne sans retenue aux plaisirs sensuels.
5. *Se pâment* : sont transportés de ravissement.

Quand elle eut de mes os sucé toute la moelle,
Et que languissamment[1] je me tournai vers elle
Pour lui rendre un baiser d'amour, je ne vis plus
20   Qu'une outre[2] aux flancs gluants, toute pleine de pus !
Je fermai les deux yeux, dans ma froide épouvante,
Et quand je les rouvris à la clarté vivante,
À mes côtés, au lieu du mannequin puissant
Qui semblait avoir fait provision de sang,
25   Tremblaient confusément des débris de squelette,
Qui d'eux-mêmes rendaient le cri d'une girouette
Ou d'une enseigne, au bout d'une tringle de fer,
Que balance le vent pendant les nuits d'hiver.

---

1. Languissamment : avec faiblesse et abattement.
2. Outre : sac en peau de bouc servant de récipient pour la conservation ou le transport des liquides, dans les pays moyen-orientaux ou méditerranéens.

DOSSIER

Vie du poète maudit

1821-1840 : l'école de la bohème

L'enfant

Charles Baudelaire naît le 9 avril 1821, à Paris, d'un père sexagénaire, ancien haut fonctionnaire, qui consacre sa retraite aux plaisirs de la peinture, et d'une jeune mère, Caroline Dufaÿs, épousée en secondes noces. Jusqu'à l'âge de six ans, Charles grandit dans un foyer marqué par un décalage de maturité entre ses deux parents. Son père a connu l'Ancien Régime, tandis que sa mère est une fille de l'Empire. Cette double filiation, à la fois classique et moderne, se révélera de première importance dans la formation esthétique de l'écrivain.

L'orphelin

En 1827, le père de Baudelaire décède. Un an et demi après, la jeune veuve se remarie avec un militaire de carrière, dénommé Aupick. Chef de bataillon au moment des noces, il deviendra par la suite brillant officier, puis général. C'en est alors fini pour Charles de la complicité exclusive qui l'unissait à sa mère au sein de ce «vert paradis des amours enfantines». Au lieu de l'«innocent paradis plein de plaisirs furtifs» [1], commence pour lui le temps de la réclusion à l'internat du Collège royal de Lyon, ville où le général Aupick vient d'être muté. Durant ces tristes années, il se heurte à la froide clôture de la prison scolaire, «cachot humide,/Où l'Espérance, comme une chauve-souris,/S'en va battant les murs de son aile timide [2].»

Le bachelier

En 1836, de retour à Paris, où Aupick vient d'être nommé colonel, Charles est interne au collège Louis-le-Grand. Il y découvre la poé-

---

1. «*Mœsta et errabunda*» (section «Spleen et Idéal»).
2. «Élévation» (section «Spleen et Idéal»).

sie romantique française (Hugo, Sainte-Beuve, Gautier). Il montre de brillantes dispositions pour les lettres en remportant le prix du concours général en latin et en vers français. Tel « un bon nageur qui se pâme dans l'onde,/[Il sillonne] gaiement l'immensité profonde[1] » de la littérature et des extases poétiques. En 1839, malgré son renvoi du lycée Louis-le-Grand pour un motif obscur, pendant son année de terminale philosophique, il obtient le baccalauréat.

L'artiste bohème

Peu assidu aux cours de droit auxquels il s'est inscrit, il mène dès lors une existence très libre dans les milieux de la bohème parisienne. Il fréquente les cénacles littéraires et rencontre des hommes de lettres parmi lesquels Balzac et Gérard de Nerval, et participe à des revues. Il goûte les « baumes pénétrants » des « bouteille[s] profonde[s][2] » et les vaporeux plaisirs des paradis artificiels. Cette vie de dissipation et d'insouciance l'amène à entretenir une relation avec une jeune prostituée juive, du quartier Latin, Sarah « la louchette », auprès de laquelle il a peut-être contracté la syphilis.

1841-1848 : de paquebots en galères

Sous les tropiques

En 1841 sa famille, inquiète, met fin à ce train de dépravation en convaincant Charles de s'embarquer sur le *Paquebot Mers du Sud*, à destination des Indes. Son périple s'interrompt bien avant Calcutta, par deux séjours de quelques mois sur l'île de la Réunion puis sur l'île Maurice, où il se gorge de visions exotiques. « À une dame créole », qu'il écrit sur place, « au pays parfumé que le soleil caresse », « Parfum exotique » et « La Vie antérieure » sont imprégnés de cette douceur de vivre tropicale dont il a pu goûter les délices.

---

1. « Élévation » (section « Spleen et Idéal »).
2. « Le Vin du solitaire » (section « Le Vin »).

Sous tutelle

De retour à Paris, en 1842, à l'âge de la majorité, il entre en possession de l'héritage paternel. Il rencontre Jeanne Duval, une femme de couleur, qui interprète de menus rôles au théâtre Saint-Antoine, et s'éprend de cette «Bizarre déité, brune comme les nuits/Au parfum mélangé de musc et de havane[1]». Seule la déchéance alcoolique de sa partenaire viendra interrompre presque quinze ans de passion orageuse et fébrile avec cette «Sorcière au flanc d'ébène». Mais très vite son installation et ses habitudes de vie mondaine ont raison de son patrimoine : en deux ans, il dilapide la moitié de son bien. Affolée par son train de vie dispendieux, sa mère décide en septembre 1844 de le placer sous la tutelle d'un notaire, maître Ancelle, chargé de gérer l'argent de Charles et de lui verser tous les mois une somme fixe. Privé de toute aisance financière, Baudelaire se débat dès lors entre les créanciers et les recon-naissances de dettes. De cette atteinte à sa liberté, il conçoit une telle souffrance et une telle humiliation qu'il tente de se suicider en 1845 : «Je me tue parce que je ne puis plus vivre, que la fatigue de m'endor-mir et la fatigue de me réveiller me sont insupportables», écrit-il à son tuteur, maître Ancelle, dans un souci avéré de dramatisation.

Sous l'influence de la peinture

Baudelaire a commencé à écrire des poèmes mais il ne les publie pas encore. Pour qu'il puisse survivre, ses amis l'encouragent à devenir critique d'art. Le romantisme auquel il est si profondément attaché vit ses derniers feux sous les attaques virulentes du Parnasse. Il publie successivement deux «Salons», celui de 1845 et celui de 1846, dans lesquels il distingue avec un goût très sûr et une vive intelligence artistique des peintres et des sculpteurs comme Delacroix, Daumier et Pradier. La même année, quatre poèmes sont publiés, qui annon-cent la parution d'un recueil, *Les Lesbiennes* [2], premier titre des *Fleurs*

---

1. «*Sed non satiata*» (section «Spleen et Idéal»).

2. À l'époque de Baudelaire, le terme «lesbiennes» n'a pas une acception aussi précise qu'aujourd'hui. Il signifie généralement «habitantes de Lesbos», l'île de Sappho (ou Sapho) en mer Égée, qui est le lieu par excellence de la poésie lyrique. Pour désigner les homosexuelles, on emploie alors le mot «tribades».

du mal : il s'agit de « Don Juan aux Enfers », « À une Malabaraise »,
« À une dame créole », et « Les Chats ». *La Fanfarlo*, son unique œuvre
narrative – une nouvelle – paraît l'année suivante, en 1847. Il rencontre Marie Daubrin, une actrice aux yeux verts du théâtre de la Porte
Saint-Martin avec laquelle il vit une brève mais passionnelle idylle.

1848-1857 : de l'art de se divertir
pour échapper au spleen

1848-1851 : de l'Idéal au désenchantement politique

Le 22 février 1848, la révolution éclate. S'il défile, participe aux émeu-
tes et monte sur les barricades, ses motivations politiques sont des
plus troubles. Il prétend à qui veut l'entendre vouloir fusiller son
beau-père, le général Aupick, qu'il considère comme l'archétype du
bourgeois haïssable. Pourtant, son engagement en faveur du peuple
est sans lendemain. Après avoir participé à deux numéros d'un journal
révolutionnaire fondé par Champfleury, il renonce à toute perspective
de révolution populaire et de progrès social. Il entend se détourner de
« ce fanal obscur, invention du philosophisme actuel [1] ».

Son intérêt pour la politique cesse définitivement avec le coup d'État
de Louis-Napoléon Bonaparte du 2 décembre 1851. N'ayant plus que
mépris pour les agitations de foules et les clameurs de tribuns, il se
retranche dans le travail littéraire et la réflexion ; il traduit Edgar Allan
Poe et lit les œuvres du penseur réactionnaire Joseph de Maistre.
Après la publication de onze de ses nouveaux poèmes dans différentes revues, Baudelaire annonce la parution prochaine de son recueil,
rebaptisé *Les Limbes* [2] et enrichi de nouvelles pièces, mais il faudra
attendre un peu pour que l'ouvrage paraisse. Son étude sur Edgar Poe
et sa traduction des nouvelles de l'auteur américain, *Histoires extra-*

---

1. *Curiosités esthétiques*, 1855.
2. Dans le vocabulaire de la théologie chrétienne, les limbes désignent un
espace intermédiaire entre le paradis et l'enfer, où séjournent les âmes des
enfants qui n'ont pas reçu le baptême.

ordinaires et *Nouvelles Histoires extraordinaires*, aujourd'hui encore sans égale, est publiée dans *La Revue de Paris* et dans *Le Pays*.

Poésie et papillonnages amoureux

En 1852, Baudelaire tombe amoureux d'Apollonie Sabatier, femme du monde cultivée dont il fréquente le salon depuis bientôt deux ans, en compagnie de Théophile Gautier et d'autres poètes en vue. Il lui envoie régulièrement des poèmes, sous le couvert de l'anonymat, mais la « Présidente [1] » n'est pas dupe. Elle se reconnaît aisément dans le portrait de « celle qui est trop gaie » dont « les retentissantes couleurs/[qui] parsèment [les] toilettes,/Jettent dans l'esprit des poètes/L'image d'un ballet de fleurs [2] ». Cet amour n'empêche pas Baudelaire d'être fidèle à Jeanne Duval, avec laquelle il partage une intimité presque conjugale, du moins jusqu'en 1854, date à laquelle il convole à nouveau avec Marie Daubrun. Il est alors tellement épris qu'il songe un temps à s'établir pour de bon en concubinage avec cette dernière.

1857-1867 : les années de guignon

Le procès

1857 est l'année de toutes les infortunes pour Baudelaire. Son beau-père, le général Aupick, meurt le 27 avril, ce qui ne l'affecte pas outre mesure mais le prive de précieux appuis dans la société. Or, quelques jours à peine après la publication des *Fleurs du mal* chez l'éditeur Poulet-Malassis, le 25 juin 1857, paraissent dans *Le Figaro* des articles assassins jugeant l'ouvrage monstrueux et abject. Le 20 août, Baudelaire est assigné en correctionnelle par le procureur de justice Ernest Pinard, pour outrage à la morale religieuse et à la morale publique. Malgré le soutien des plus grands, Victor Hugo, Flaubert

---

1. Mme Sabatier était ainsi appelée par son entourage mondain en raison du titre de son mari.
2. « À celle qui est trop gaie » (section « Pièces condamnées »).

et Sainte-Beuve, six pièces du recueil sont interdites et l'auteur est condamné à payer une amende de trois cents francs. Si l'événement attise la curiosité du public, il accable profondément le poète.

Frénésie d'écriture

Au mal de vivre aigu qui s'empare de lui correspond paradoxalement une période d'intense créativité littéraire. Il s'attèle à la rédaction de petits poèmes en prose sur le modèle de *Gaspard de la nuit*, d'Aloysius Bertrand, genre dont le format et la liberté poétique lui semblent mieux convenir à l'évocation de la modernité urbaine. Acculé par d'importants problèmes financiers, il publie le *Salon de 1859*, dans lequel il affine sa conception de la modernité artistique. Il y fait un éloge appuyé de l'Imagination, puissante et divine faculté créatrice, et met en garde ses contemporains contre la pauvreté du réalisme. En cette même période, il commence la rédaction de *Mon cœur mis à nu*, journal intime dans lequel il évoque ses rancunes et ses déceptions et qui ne paraîtra qu'après sa mort. En 1860, après un long séjour à Honfleur chez sa mère, avec laquelle il s'est réconcilié depuis la mort de son beau-père, paraissent *Les Paradis artificiels*. Au cours de cette retraite normande, il a également travaillé à une étude sur Théophile Gautier et complété l'édition expurgée des *Fleurs du mal* en composant trente-cinq nouveaux poèmes. Une nouvelle section qui développe une inspiration citadine, les «Tableaux parisiens», est insérée dans le recueil. Parallèlement, Baudelaire se passionne pour les lavis et les dessins de Constantin Guys, aquafortiste et graveur dont il entreprend de démontrer, dans une étude parue en 1863 dans *Le Figaro*, qu'il a un génie comparable à celui de Delacroix.

Le gouffre [1]

Malgré une nouvelle édition de son recueil, en 1861, et la découverte de la musique de Wagner, «qui [le] prend comme une mer» et fait «vibrer en [lui] toutes les passions/D'un vaisseau qui souffre [2]», le

---

1. «Au moral comme au physique, j'ai toujours eu la sensation du gouffre», écrit Baudelaire dans *Mon cœur mis à nu*.
2. «La Musique» (section «Spleen et Idéal»).

poète, accablé par de nouvelles difficultés financières, victime de violentes crises de syphilis, s'enfonce dans les abîmes de la dépression. Les querelles et les malentendus se multiplient avec sa maîtresse Jeanne Duval, quasiment infirme, qui vit un temps sous son toit.

Le ressentiment

Une candidature malheureuse à l'Académie française achève de lui inspirer le plus vif ressentiment pour son époque et ses contemporains. « Les artistes ne savent rien, les littérateurs ne savent rien, pas même l'orthographe. Tout ce monde est devenu abject, inférieur peut-être aux gens du monde. Je suis un vieillard, une momie, et on m'en veut parce que je suis moins ignorant que le reste des hommes », écrit-il à sa mère. En 1862, il subit une attaque cérébrale qui témoigne des progrès fatals de la maladie. Dans son journal intime, il écrit : « j'ai senti passer sur moi le vent de l'aile de l'imbécilité ». À son ami Charles Monselet qu'il rencontre un soir et qui s'enquiert de sa santé, il répond : « Mon cher, je regarde passer les têtes de mort. »

« Une capitale de singes [1] »

Pénétré du sentiment de vivre une époque de décadence esthétique, surtout depuis qu'Eugène Delacroix, son idole, est mort en 1863, Baudelaire s'exile en Belgique avec le projet de donner une série de conférences à Bruxelles et de trouver un éditeur pour ses œuvres complètes. Mais l'échec est retentissant, le public belge n'est pas au rendez-vous et seules paraissent, en 1866, *Les Épaves*, recueil qui rassemble les six pièces condamnées en 1857 et quelques autres poèmes. La Belgique lui semble une nation d'une bêtise tellement sinistre qu'il projette d'écrire un recueil satirique intitulé *Pauvre Belgique*. En mars 1866, tandis qu'il visite l'église de Saint-Loup à Namur, en compagnie de son éditeur Poulet-Malassis et de Félicien Rops – le seul artiste belge qui trouve grâce à ses yeux –, il est victime

---

1. Titre envisagé par Baudelaire, dans ses notes, pour un projet de livre sur la Belgique.

d'une attaque cérébrale qui le laisse aphasique [1] et hémiplégique. Hospitalisé à Bruxelles, puis à Paris, il décède le 31 août 1867. Il est enterré le 2 septembre au cimetière Montparnasse, dans l'intimité, escorté dans sa dernière demeure par sa mère et quelques amis. Ce dernier hommage, de Théodore de Banville, l'accompagne : « Il a accepté tout l'homme moderne, avec ses défaillances, sa grâce maladive, avec ses aspirations impuissantes ».

Questionnaire sur le recueil des *Fleurs du mal*

1. Quelles sont les deux tentations opposées auxquelles le poète cède alternativement et qui entretiennent son déchirement ? Définissez chacune d'elles et dites dans quel poème l'une de ces tendances l'emporte définitivement sur l'autre ?

2. Quels est le sujet commun aux poèmes « Bénédiction » et « L'Albatros » ?

3. Comparez la forme du poème liminaire « Bénédiction » et celle du dernier poème « Le Voyage ». Quels sont les points communs des deux poèmes ?

4. En quoi « Le Voyage » peut-il être lu comme le résumé du parcours initiatique accompli par le poète tout au long du recueil ?

5. « Il n'est pas donné à chacun de prendre un bain de multitude : jouir de la foule est un art [...] », écrit Baudelaire dans le poème en prose « Les Foules ». Dans quels poèmes des *Fleurs du mal*, le poète se révèle-t-il expert dans cet art ?

---

1. *Aphasique* : voir note 1, p. 10.

6. Un des poèmes du recueil des *Fleurs du mal*, situé dans la section «Spleen et Idéal», est considéré comme un manifeste poétique du symbolisme. Sachant que le symbolisme peut se définir comme un mouvement esthétique cherchant à révéler des relations entre les éléments du monde réel, sensible, et des vérités impalpables, identifiez ce poème. (Aidez-vous de la table des *Fleurs du mal*, p. 281, et des titres.)

7. Certains poèmes des *Fleurs du mal* traduisent la fascination de Baudelaire pour l'horreur et la trivialité. Donnez des exemples de cette inspiration de l'horrible.

8. Au contraire, d'autres poèmes célèbrent le culte du beau et trahissent l'influence poétique du Parnasse, très importante quand paraissent *Les Fleurs du mal* et considérable sur Baudelaire. Lesquels?

9. À certains poèmes des *Fleurs du mal* correspondent des poèmes en prose du «Spleen de Paris» : lesquels?

10. Quelle est la forme fixe la plus utilisée dans *Les Fleurs du mal*? Quelles en sont les caractéristiques?

11. Trois femmes sont les muses du poète dans *Les Fleurs du mal* : Jeanne Duval, Mme Sabatier et Marie Daubrun. Que pensez-vous de la vision de la femme qui transparaît dans les poèmes XXIII et XXIX?

12. Quelles étaient les particularités physiques de Jeanne Duval? Pour répondre à cette question, vous pouvez relire le poème intitulé «*Sed non satiata*».

13. Citez deux poèmes qui sont de purs éloges adressés à la beauté féminine.

14. À l'inverse de Jeanne Duval, dont Baudelaire chante l'extrême sensualité (dans «Le Serpent qui danse», notamment), Marie Daubrun a inspiré au poète un amour spirituel et idéalisé. Le poème «Invitation au voyage», dédié à cette dernière, le prouve. Dites comment.

15. La mort est un thème récurrent des poèmes de Baudelaire. Quelle est la tonalité qui accompagne son évocation dans «Le Mort joyeux»? Résumez en une phrase l'apparition centrale de «Danse macabre».

Comment appelle-ton cette figure de style qui consiste à incarner l'idée de la mort dans une apparence humaine de femme décharnée ?

16. Relisez deux des poèmes du recueil intitulés « Spleen » (LXXVI et LXXVII) et précisez les composantes du spleen, ses ingrédients.

Préfaces des *Fleurs du mal*

Après la condamnation de l'édition des *Fleurs du mal* en 1857, Baudelaire a rédigé trois projets consécutifs de préface auxquels il a finalement renoncé. Ils ne seront publiés intégralement qu'en 1887 par E. Crépet, dans une édition des *Œuvres posthumes* de Baudelaire, d'après des documents autographes réunis par le premier éditeur de Baudelaire, Poulet-Malassis.

Projet de préface pour l'édition de 1861

Voici le deuxième projet de préface, qui nous permet de comprendre l'intention poétique de Baudelaire et la situation particulière qu'il occupe dans son siècle. Vraisemblablement composé en 1858, ce texte répond avec énergie à une attaque de Louis Veuillot (journaliste catholique, 1813-1883) qui a condamné le poète au nom de la morale. Pour la première fois, Baudelaire formule la nécessité de ne pas confondre le Beau et le Bien.

Ce n'est pas pour mes femmes, mes filles ou mes sœurs que ce livre a été écrit ; non plus que pour les femmes, les filles ou les sœurs de mon voisin. Je laisse cette fonction à ceux qui ont intérêt à confondre les bonnes actions avec le beau langage.

Je sais que l'amant passionné du beau style s'expose à la haine des multitudes ; mais aucun respect humain, aucune fausse pudeur, aucune coalition, aucun suffrage universel ne me contraindront à parler le patois incomparable de ce siècle, ni à confondre l'encre avec la vertu.

Des poètes illustres s'étaient partagé depuis longtemps les provinces les plus fleuries du domaine poétique. Il m'a paru plaisant, et d'autant plus agréable que la tâche était plus difficile, d'extraire la beauté du Mal. Ce livre, essentiellement inutile et absolument innocent, n'a pas été fait dans un autre but que de me divertir et d'exercer mon goût passionné de l'obstacle.

Quelques-uns m'ont dit que ces poésies pouvaient faire du mal ; je ne m'en suis pas réjoui. D'autres, de bonnes âmes, qu'elles pouvaient faire du bien ; et cela ne m'a pas affligé. La crainte des uns et l'espérance des autres m'ont également étonné, et n'ont servi qu'à me prouver une fois de plus que ce siècle avait désappris toutes les notions classiques relatives à la littérature.

Malgré les secours que quelques cuistres célèbres ont apportés à la sottise naturelle de l'homme, je n'aurais jamais cru que notre patrie pût marcher avec une telle vélocité dans la voie du progrès. Ce monde a acquis une épaisseur de vulgarité qui donne au mépris de l'homme spirituel la violence d'une passion. Mais il est des carapaces heureuses que le poison lui-même n'entamerait pas.

J'avais primitivement l'intention de répondre à de nombreuses critiques, et, en même temps, d'expliquer quelques questions très simples, totalement obscurcies par la lumière moderne : Qu'est-ce que la poésie ? Quel est son but ? De la distinction du Bien d'avec le Beau ; de la Beauté dans le Mal ; que le rythme et la rime répondent dans l'homme aux immortels besoins de monotonie, de symétrie et de surprise ; de l'adaptation du style au sujet ; de la vanité et du danger de l'inspiration, etc., etc. ; mais j'ai eu l'imprudence de lire ce matin quelques feuilles publiques ; soudain, une indolence, du poids de vingt atmosphères, s'est abattue sur moi, et je me suis arrêté devant l'épouvantable inutilité d'expliquer quoi que ce soit à qui que ce soit. Ceux qui savent me devinent, et pour ceux qui ne peuvent ou ne veulent pas comprendre, j'amoncèlerais sans fruit les explications.

C.B.

1. Quelle fonction Baudelaire refuse-t-il d'assigner à la poésie, dès le début de son texte ?

2. Dans cette préface, relevez l'expression cruciale qui énonce le programme poétique de Baudelaire.

3. Relevez un passage qui exprime la grande préoccupation de Baudelaire de se démarquer de ses prédécesseurs.

4. Après avoir cherché les définitions du romantisme, du Parnasse et du symbolisme dans un manuel de littérature, dites de quelle sensibilité vous semble relever cette préface aux allures de manifeste.

5. Prouvez cette affinité en relevant trois expressions successives qui caractérisent l'esthétique à laquelle vous associez cette préface. Pour répondre à cette question, aidez-vous de la présentation du recueil.

6. Dans « Situation de Baudelaire » (*Variété II*, 1929), Paul Valéry, écrit que le problème de Baudelaire, au début de sa carrière poétique, se pose en ces termes : « être un grand poète, mais n'être ni Lamartine, ni Hugo, ni Musset ». Le projet de préface que vous venez de lire confirme-t-il cette analyse ?

Projet de préface pour la troisième édition des *Fleurs du mal*

Voici un extrait de projet postérieur au précédent, datant vraisemblablement des années 1863-1865. Baudelaire prépare alors une troisième édition de son recueil puisqu'il écrit que ses poèmes osent affronter, « pour la troisième fois, le soleil de la sottise ». Le cynisme et l'aigreur qui transparaissent dans ces lignes traduisent la fatigue désabusée qui abîme ses dernières années.

S'il y a quelque gloire à n'être pas compris, ou à ne l'être que très peu, je peux dire sans vanterie que, par ce petit livre, je l'ai acquise et méritée d'un seul coup.

Offert plusieurs fois de suite à divers éditeurs qui le repoussaient avec horreur, poursuivi et mutilé, en 1857, par suite d'un malentendu fort bizarre, lentement rajeuni, accru et fortifié pendant quelques années de silence, disparu de nouveau, grâce à mon insouciance, ce produit discordant de la Muse des derniers jours, encore avivé par quelques nouvelles touches violentes, ose affronter aujourd'hui, pour la troisième fois, le soleil de la sottise.

Ce n'est pas ma faute; c'est celle d'un éditeur insistant qui se croit assez fort pour braver le dégoût public. «Ce livre restera sur toute votre vie comme une tache», me prédisait, dès le commencement, un de mes amis, qui est un grand poète. En effet, toutes mes mésaventures lui ont, jusqu'à présent, donné raison. Mais j'ai un de ces heureux caractères qui tirent une jouissance de la haine, et qui se glorifient dans le mépris. Mon goût diaboliquement passionné de la bêtise me fait trouver des plaisirs particuliers dans les travestissements de la calomnie. Chaste comme le papier, sobre comme l'eau, porté à la dévotion comme une communiante, inoffensif comme une victime, il ne me déplairait pas de passer pour un débauché, un ivrogne, un impie et un assassin.

Mon éditeur prétend qu'il y aurait quelque utilité pour moi, comme pour lui, à expliquer pourquoi et comment j'ai fait ce livre, quels ont été mon but et mes moyens, mon dessein et ma méthode. Un tel travail de critique aurait sans doute quelques chances d'amuser les esprits amoureux de la rhétorique profonde. Pour ceux-là peut-être l'écrirai-je plus tard et le ferai-je tirer à une dizaine d'exemplaires. Mais, à un meilleur examen, ne paraît-il pas évident que ce serait là une besogne tout à fait superflue, pour les uns comme pour les autres, puisque les uns savent ou devinent, et que les autres ne comprendront jamais? […]

Et puis, ma meilleure raison, ma suprême, est que cela m'ennuie et me déplaît. Mène-t-on la foule dans les ateliers de l'habilleuse et du décorateur, dans la loge de la comédienne? Montre-t-on au public affolé aujourd'hui, indifférent demain, le mécanisme des trucs? Lui explique-t-on les retouches et les variantes improvisées aux répétitions, et jusqu'à quelle dose l'instinct et la sincérité sont mêlés aux rubriques et au charlatanisme indispensable dans l'amalgame de l'œuvre? Lui révèle-t-on toutes les loques, les fards, les poulies, les chaînes, les repentirs, les épreuves barbouillées, bref toutes les horreurs qui composent le sanctuaire de l'art?

D'ailleurs, telle n'est pas aujourd'hui mon humeur. Je n'ai désir ni de démontrer, ni d'étonner, ni d'amuser, ni de persuader. J'ai mes nerfs, mes vapeurs. J'aspire à un repos absolu et à une nuit continue. Chantre des voluptés folles du vin et de l'opium, je n'ai soif que d'une liqueur inconnue sur la terre, et que la pharmaceutique céleste, elle-même, ne pourrait pas m'offrir ; d'une liqueur qui ne contiendrait ni la vitalité, ni la mort, ni l'excitation, ni le néant. Ne rien savoir, ne rien enseigner, ne rien vouloir, ne rien sentir, dormir et encore dormir, tel est aujourd'hui mon unique vœu. Vœu infâme et dégoûtant, mais sincère.

Toutefois, comme un goût supérieur nous apprend à ne pas craindre de nous contredire un peu nous-mêmes, j'ai rassemblé, à la fin de ce livre abominable, les témoignages de sympathie de quelques-uns des hommes que je prise le plus, pour qu'un lecteur impartial en puisse inférer que je ne suis pas absolument digne d'excommunication et qu'ayant su me faire aimer de quelques-uns, mon cœur, quoi qu'en ait dit je ne sais plus quel torchon imprimé, n'a peut-être pas «l'épouvantable laideur de mon visage». […]

1. Relevez et énumérez les différents affronts que Baudelaire a soufferts à cause de son recueil. Pour établir cette liste, vous pourrez vous aider du début de la présentation de cette édition.

2. Face aux attaques dont il est victime, quel parti Baudelaire se résout-il à prendre ? Quelle stratégie décide-t-il d'opposer à l'incompréhension dont son œuvre fait l'objet ?

3. Relevez les expressions qui traduisent, de la part du poète, une certaine complaisance à l'égard du malheur.

4. Dans quelle mesure ce texte peut-il être considéré comme une illustration de la notion de « poète maudit » ?

« La volière poétique du XIXᵉ siècle »

Le malheur de la condition de poète s'exprime essentiellement dans les premières pièces de la section « Spleen et Idéal » des *Fleurs du mal*. Le poète souffre d'une inadaptation viscérale au monde dans lequel il vit. Dans « L'Albatros », cette marginalité s'exprime par le motif animalier d'une espèce particulière d'oiseau qui ressemble à une grande mouette. Au XIXᵉ siècle, d'autres poètes ont eu recours au motif ornithologique pour illustrer la condition du poète. Voici trois poèmes, classés par ordre chronologique, qui, joints à « L'Albatros », offrent quelques-uns des spécimens de « la volière poétique du XIXᵉ siècle ». Confrontons ces drôles d'oiseaux afin de cerner l'originalité qui préside à la conception baudelairienne du poète.

Musset, *La Nuit de mai*, « Le Pélican » (1835)

Alfred de Musset appartient à la seconde génération des poètes romantiques. Sa rupture définitive avec George Sand, qui intervient brutalement à Venise en mars 1835, l'assomme de douleur et le réduit au silence. Après quelques mois de prostration, il écrit en deux nuits et un jour, *La Nuit de mai*, qui développe un dialogue entre la muse et le poète paralysé par son malheur. Dans le passage reproduit ci-après, la muse lui montre, par le biais d'un apologue, que la douleur peut nourrir son art. Le pélican, double allégorique du poète, devient le symbole de la puissante inspiration que constitue la douleur sacrificielle. Le dictionnaire Bescherelle de 1845 explicite cette dimension symbolique : « Le pélican retire de son estomac les aliments qu'il a pris, pour en nourrir ses petits ; on le peint même se déchirant les flancs, pour faire boire son sang à sa couvée ; ce qui l'a fait prendre pour l'emblème de la tendresse paternelle, et même de la Providence divine. Sur les autels, sur la porte des tabernacles, sur les ornements sacerdotaux, on peint, on sculpte, on grave un pélican s'ouvrant les entrailles, par allusion à l'amour de Jésus-Christ qui, dans le sacrement eucharistique, nourrit les fidèles de sa propre substance. »

LA MUSE

[...]
Quel que soit le souci que ta jeunesse endure,
Laisse-la s'élargir, cette sainte blessure
Que les noirs séraphins t'ont faite au fond du cœur ;
Rien ne nous rend si grands qu'une grande douleur.
Mais, pour en être atteint, ne crois pas, ô poète,
Que ta voix ici-bas doive rester muette.
Les plus désespérés sont les chants les plus beaux,
Et j'en sais d'immortels qui sont de purs sanglots.
Lorsque le pélican, lassé d'un long voyage,
Dans les brouillards du soir retourne à ses roseaux,
Ses petits affamés courent sur le rivage
En le voyant au loin s'abattre sur les eaux.
Déjà, croyant saisir et partager leur proie,
Ils courent à leur père avec des cris de joie,
En secouant leurs becs sur leurs goitres hideux.
Lui, gagnant à pas lents une roche élevée,
De son aile pendante abritant sa couvée,
Pêcheur mélancolique, il regarde les cieux.
Le sang coule à longs flots de sa poitrine ouverte ;
En vain il a des mers fouillé la profondeur ;
L'Océan était vide et la plage déserte ;
Pour toute nourriture il apporte son cœur.
Sombre et silencieux, étendu sur la pierre,
Partageant à ses fils ses entrailles de père,
Dans son amour sublime il berce sa douleur ;
Et, regardant couler sa sanglante mamelle,
Sur son festin de mort il s'affaisse et chancelle,
Ivre de volupté, de tendresse et d'horreur.

Mais parfois, au milieu du divin sacrifice,
Fatigué de mourir dans un trop long supplice,
Il craint que ses enfants ne le laissent vivant ;
Alors il se soulève, ouvre son aile au vent,
Et, se frappant le cœur avec un cri sauvage,
Il pousse dans la nuit un si funèbre adieu,
Que les oiseaux des mers désertent le rivage,
Et que le voyageur attardé sur la plage,
Sentant passer la mort, se recommande à Dieu.
Poète, c'est ainsi que font les grands poètes.
Ils laissent s'égayer ceux qui vivent un temps ;
Mais les festins humains qu'ils servent à leurs fêtes
Ressemblent la plupart à ceux des pélicans.
Quand ils parlent ainsi d'espérances trompées,
De tristesse et d'oubli, d'amour et de malheur,
Ce n'est pas un concert à dilater le cœur.
Leurs déclamations sont comme des épées ;
Elles tracent dans l'air un cercle éblouissant ;
Mais il y pend toujours quelques gouttes de sang.

1. Étudiez les procédés de dramatisation qui soulignent la dimension pathétique de la scène.

2. À quel sacrement religieux fait songer cette scène d'un père qui offre son corps et son sang en sacrifice pour sauver ses enfants ?

3. La souffrance éprouvée par le pélican est-elle gratuite, ou se fonde-t-elle sur une utilité morale, sur une fonction sublime commune au pélican et au poète ?

Sully Prudhomme, *Poésies*, « L'Inspiration » (1866-1872)

Membre du Parnasse contemporain aux côtés de Théodore de Banville, Leconte de Lisle et Théophile Gautier, Sully Prudhomme, à l'instar de ses pairs, s'opposa aux abus du lyrisme romantique des décennies précédentes et rompit avec les ambitions sociales ou morales de la poésie. Cependant, à la différence des plus virulents partisans de « l'Art pour l'Art », il réussit à réconcilier le formalisme et la sincérité personnelle, notamment dans l'expression de la douleur amoureuse. Dans certains de ses poèmes, il sut trouver une forme de simplicité délicate et épurée. Ici, l'allégorie ornithologique allège et renouvelle dans un poème élégiaque le motif éculé de l'amour non réciproque et de la douleur affective.

Un oiseau solitaire aux bizarres couleurs
Est venu se poser sur une enfant ; mais elle,
Arrachant son plumage où le prisme étincelle,
De toute sa parure elle fait des douleurs ;

Et le duvet moelleux, plein d'intimes chaleurs,
Épars, flotte au doux vent d'une bouche cruelle.
Or l'oiseau, c'est mon cœur ; l'enfant coupable est celle,
Celle dont je ne puis dire le nom sans pleurs.

Ce jeu l'amuse, et moi j'en meurs, et j'ai la peine
De voir dans le ciel vide errer sous son haleine
La beauté de mon cœur pour le plaisir du sien !

Elle aime à balancer mes rêves sur sa tête
Par un souffle et je suis ce qu'on nomme un poète.
Que ce souffle leur manque et je ne suis plus rien.

1. De quelle nature est la douleur éprouvée ici par le poète ? S'agit-il d'une douleur existentielle et quasiment mystique comme dans le poème de Musset ?

2. L'ensemble de ce sonnet est fondé sur une comparaison dont les termes sont explicités au second quatrain. Précisez les deux comparants et les deux comparés qui composent cette figure de style.

Mallarmé, « Le vierge, le vivace et le bel aujourd'hui » (1885)

Dans ce célèbre sonnet dont Paul Bénichou a pu écrire qu'il était une « symphonie en *i* majeur », Mallarmé assimile le poète à un cygne majestueux, comme Baudelaire l'avait fait dans « Le Cygne », poème des « Tableaux parisiens ». À la différence de Musset, de Sully Prudhomme et de Baudelaire, Mallarmé ne donne jamais à son lecteur la clé d'interprétation de cette allégorie. Le poème tout entier décrit seulement le comparant de cette figure de style : un cygne pris au piège d'un lac glacé qui tente vainement, dans un sursaut de conscience, de se délivrer de cet étau de blancheur, avant de prendre stoïquement le parti d'un immobile exil.

> Le vierge, le vivace et le bel aujourd'hui
> Va-t-il nous transpercer avec un coup d'aile ivre
> Ce lac dur oublié que hante sous le givre
> Le transparent glacier des vols qui n'ont pas fui !
>
> Un cygne d'autrefois se souvient que c'est lui
> Magnifique mais qui sans espoir se délivre
> Pour n'avoir pas chanté la région où vivre
> Quand du stérile hiver a resplendi l'ennui.
>
> Tout son col secouera cette blanche agonie
> Par l'espace infligée à l'oiseau qui le nie,
> Mais non l'horreur du sol où le plumage est pris.

Fantôme qu'à ce lieu son pur éclat assigne,
Il s'immobilise au songe froid de mépris
Que vêt parmi l'exil inutile le Cygne.

1. Dans la mesure où le cygne est une allégorie de l'écrivain ou du poète, que peut représenter à votre avis la blancheur stérile du lac gelé dont il est prisonnier ?

2. L'hermétisme de la poésie de Mallarmé tient au refus de nommer directement les êtres et les objets. Cette disparition linguistique, cette absence de référents concrets, renvoie à une autre disparition. Laquelle ?

3. À l'instar de l'oiseau baudelairien, le cygne mallarméen est un symbole d'exil. Montrez que cet exil a également une dimension temporelle.

Microlectures

Microlecture n° 1 : « L'Albatros », p. 57

1. Mise en valeur narrative et dramatique de l'anecdote

Le premier quatrain, à la manière d'une scène d'exposition, se contente de planter le décor marin et de présenter les protagonistes du drame. Le deuxième révèle l'infériorité pathétique des oiseaux par rapport aux marins, dans l'espace clos du bateau. Seul le troisième exprime les motivations sadiques de la capture des oiseaux par les hommes d'équipage. Étudiez les moyens poétiques utilisés par le poète pour créer cet effet de suspens.

1. Commentez le choix lexical des termes suivants dans le premier quatrain : « s'amuser », « prennent », « indolents ». Montrez que leur neu-

tralité sémantique suggère une certaine bonhomie, une atmosphère anodine.

2. Relevez un exemple de rejet, un enjambement, et deux périphrases explicatives. Montrez qu'elles retardent la révélation du drame.

3. Un certain réalisme est de mise dans le troisième quatrain. Relevez un terme familier. Comment Baudelaire procède-t-il pour restituer le point de vue subjectif et grossier des marins ?

4. Montrez que les sévices physiques infligés à l'oiseau se doublent de mortifications morales.

2. Une symétrie symbolique

Un jeu complexe d'oppositions symboliques structure le poème et oppose l'univers idéal de l'azur à la sombre réalité des matelots.

1. Relevez les différentes expressions employées pour désigner les albatros. Que constatez-vous ?

2. Relevez les champs lexicaux de l'espace vertical et de l'espace horizontal. Montrez que la dimension ambivalente de l'oiseau, tantôt sublime, tantôt grotesque, dépend de l'environnement spatial.

3. Dans l'univers pragmatique des hommes d'équipage, les oiseaux se révèlent complètement inutiles. Relevez la comparaison qui souligne cette inadaptation foncière. En quoi le comparant des ailes de l'oiseau est-il surprenant ?

3. Un apologue

Ces réseaux d'opposition confèrent au poème une dimension allégorique qui permet de dépasser la simple anecdote. Le poème de Baudelaire, texte narratif qui, par le biais d'une construction allégorique, entend dispenser une morale, s'apparente alors en tous points à un apologue.

1. Relevez les éléments qui contribuent à l'universalité de l'anecdote (temps verbaux, adverbes). Relevez les deux seules expressions qui évoquent la majesté passée des oiseaux. Que suggère cette absence de profondeur temporelle dans le poème ?

2. Dans le dernier quatrain, l'allégorie est entièrement explicitée à travers l'emploi d'une comparaison. Précisez les différentes équivalences symboliques qu'elle établit (albatros = ? ; homme d'équipage = ? ; vie sur le bateau = ? ; vie dans l'azur = ?).

3. Quelles sont les expressions qui confèrent à l'oiseau/poète une dimension sublime ?

4. En quoi consiste la malédiction moderne du poète figurée par la maladresse de l'albatros dans le dernier vers ?

Microlecture n° 2 : « L'Invitation au voyage », p. 122

1. Destinataire et destination

Dans un premier temps, on peut lire ce poème comme un véritable projet de voyage fondé sur une adresse à une authentique destinataire, sur un itinéraire spatial et, éventuellement, sur un programme d'activités. Nous cherchons donc à cerner la nature des réalités géographiques, spatiales et humaines évoquées dans ce poème.

1. En étudiant l'énonciation et le lexique de l'apostrophe formulée par le poète à la femme qu'il aime, caractérisez la relation amoureuse qui l'unit à sa destinataire.

2. Dans l'évocation du paysage et de l'hébergement, recensez les éléments géographiques ou décoratifs qui font songer à une destination nordique ou flamande.

3. En quoi le programme des activités est-il aussi enchanteur que le lieu même de ce séjour ?

2. Voyage au pays de la femme idéale et fatale

Au-delà de ces références réalistes, le poème privilégie une analogie presque magique entre la femme aimée et le paysage fantasmé.

1. Montrez qu'une étroite correspondance unit les charmes féminins et le paysage rêvé de ce voyage.

2. En dépit de la douceur qui les caractérise, relevez l'inquiétante versatilité dont la femme comme le paysage sont susceptibles de faire

preuve. Relevez les expressions qui disent la dualité de la figure féminine.

3. Relevez les différents champs lexicaux des sensations qui confèrent
au poème une volupté à la fois matérielle et sensuelle.

3. Forme et lyrisme musical
De façon presque insensible, l'invitation au voyage semble se dissiper au moment même où elle s'énonce, au profit d'une incantation
lyrique et musicale qui, à elle seule, satisfait l'appétit de départ du
poète.

1. « De la musique avant toute chose,/Et pour cela préfère l'Impair/
Plus vague et plus soluble dans l'air,/Sans rien en lui qui pèse ou qui
pose », écrit Verlaine dans son « Art poétique », en 1881. En analysant
scrupuleusement les rythmes et les choix prosodiques de Baudelaire
dans ce poème, montrez que l'auteur des *Fleurs du mal* a su devancer
l'injonction de Verlaine.

2. À travers l'étude des temps et des modes verbaux, montrez que le
poète passe du fantasme, de la projection idéale, à la réalisation de
l'évasion.

3. La musique finale de cette berceuse poétique tend à endormir le
désir du poète. Relevez le champ lexical du sommeil et de l'assouvis-
sement.

Microlecture n° 3 : « Le Cygne », p. 168

1. La peinture de la modernité urbaine
Pour la première fois dans l'histoire de la poésie française, la réalité
citadine devient, grâce à Baudelaire, un sujet poétique à part entière.

1. Montrez que la réalité parisienne est à la fois hétéroclite, empreinte
de trivialité et exempte de toute trace naturelle. Quelle place occupent les éléments (eau, air, terre) dans ce poème ? Quels sont ceux
qui tendent à disparaître ?

2. Pourquoi peut-on dire de ce poème qu'il restitue le hasard d'une flânerie ? Peut-on déceler une organisation logique ?

3. Quel regard le poète porte-t-il sur les aménagements urbains réalisés par le préfet Haussmann ? Relevez des expressions qui trahissent la réalité de ce changement.

2. Les allégories de l'exil

Une collection impressionnante de fantômes en tout genre, de nature allégorique, anime l'esprit mélancolique du poète. Tous figurent des personnages ou des entités exilés, contraints de vivre dans la nostalgie de leur patrie d'origine.

1. Au moment où Baudelaire écrit les « Tableaux parisiens », Victor Hugo est en exil à Guernesey. Le poème lui est dédicacé. En quoi cette dédicace annonce-t-elle la thématique du poème ?

2. Dites à quel fonds culturel appartient chacune des figures d'exil présentées dans ce poème (Antiquité, histoire moderne, univers romanesque).

3. Montrez que les allégories successives se fondent progressivement dans une sorte d'universalité, que les figures évoquées par Baudelaire pour symboliser l'exil sont de moins en moins déterminées.

4. Quels sont les différents objets du souvenir qui nourrissent la nostalgie des exilés ? Qu'ont-ils en commun ?

3. Un lyrisme baroque

Les motifs mélancoliques s'enchaînent les uns aux autres, apparemment sans ordre, au gré de la déambulation du poète. Pourtant, si l'on y regarde de plus près, une symétrie troublante, comme en miroir, régit les deux moitiés du poème. Le ballet des figures de l'exil effectue une chorégraphie baroque et, peu à peu, le destinataire lyrique auquel s'adresse le poète englobe l'humanité tout entière.

1. Comparez l'ordre des apparitions allégoriques de la première partie du poème à celui de la seconde. Que constatez-vous ?

2. Quelle est la tonalité générale du poème ? De quoi se plaint le poète ?

3. Quelles sont les deux époques de l'histoire de l'humanité que Baudelaire ne cesse de faire dialoguer ? Sont-elles étrangères l'une à l'autre ? Ou, au contraire, présentent-elles des points communs ?

4. Montrez que, au fil du poème, cette plainte unit des destinataires de plus en plus nombreux, et qu'elle finit par embrasser des entités collectives, constituant ainsi l'humanité en une vaste confrérie d'exilés.

Table des *Fleurs du mal*

Le Vin

Fleurs du mal

Révolte

La Mort

Index des titres et des incipit

Création maquette intérieure :
Sarbacane Design

N° d'édition : L.01EHRN000430.N001
Dépôt légal : mai 2014

Achevé d'imprimer en Italie
par Grafica Veneta S.p.A.